「食い逃げされてもバイトは雇うな」なんて大間違い

禁じられた数字〈下〉

山田真哉

光文社新書

『食い逃げされてもバイトは雇うな　禁じられた数字〈上〉』のあらすじ

1.
文字と違って、数字は変化しません（国や時代が変わっても常に同じ意味を示します）。変化しないからこそ数字には信頼性が生まれ、また、変化しないからこそ反論しにくいという暴力性も生じます。

そして、同じ数字でも、「日常で使われる数字」と「会計で使われる数字」とでは、その役割がまったく異なります。

2.
「日常で使われる数字」では、いかに人の感情を揺さぶるかがポイントになります。

たとえば、「6時53分に集合」と、あえてハンパな時間（数字）を決めつけて指定することで、なにか背景があると思わせるのも、感情を揺さぶる技法のひとつです。

また、数字そのものではなく、それに付随《ふずい》する「単位」を変換することで感情を揺さぶることもできます。たとえば、タウリン1グラムを「タウリン1000ミリグラム」と表現するようにです。

このように、日常で使われる数字には、人の感情を揺さぶるためのテクニックがたくさん存在しているのです。

3.

一方の「会計で使われる数字」では、いかに数字に感情を入れないかがポイントになります。

ひとりでやっているために、出前に出ている間にたびたび食い逃げが発生するラーメン屋があるとします。この場合、「食い逃げによる損失」よりも「食い逃げの防止代（バイトを雇う人件費）」のほうがかかるのであれば、食い逃げされて悔しくてもバイトは雇わないのが、会計における合理的な考え方です。

この「感情より勘定《かんじょう》」という考え方のことを、私は「金額重視主義」と呼んでいます。

会計は、数字から感情を排除するテクニックでもあるのです。

4.

ビジネスや会計の世界では、数字はつきつめれば2種類しかありません。

それは、「使うべき数字」と「禁じられた数字」です。

「使うべき数字」とは、「決めつけ」や「単位変換」、「金額重視主義」といった数々の〝道具〟を使うことで生まれてくる数字を指します。

ふつうの視点とは異なる、新たな価値を生む数字だからこそ、私たちも使っていくべきなのです。

一方の「禁じられた数字」とは、道具を悪用したり、ダメな使い方をして生まれてくる数字を指します。

はじめに　宝くじは有楽町で買うべきか否か

宝くじは有楽町で買うべきか否か

『この売り場から1億円が12本出ました！』

その昔、有楽町でこんな貼《は》り紙が私の目に入ってきました。

なるほど、ここがかの有名な宝くじ売り場か、と関西出身の私はまじまじと見ていました。すると、一緒に歩いていた友人が、こう話しかけてきました。

「なあ山田、『1億円が12本』ってあるけど、お前ならここで買うか？」

「いやー、どうだろうねえ」

「ここは当たりがよく出るから、ここで買ったほうが有利とか思っていないか？」

「え、違うのか？」

「お前もわかってないなぁ。『1億円が12本』出ているということはだ、ここでは買わないほうがいい、ってことだぞ」

「なんでだよ」

「つまりだな、確率を考えたら、全国各地で当たりが出る割合はほぼ同じになるはずだよな。でも、この売り場ではすでにこんなに当たりが出ているんだろう？　ということは、逆にまだ当たりの出ていない売り場で買ったほうが、当たる確率が増すというわけだ」

「じゃあ、ここでは宝くじを買うべきではない、ってことか？」

「そうだな。ここで宝くじを買うのは、運とか縁起とか非科学的なことを信じる奴らばかりだ――」

友人はこのように、「この売り場では宝くじを買わないほうがいい」と言い切りました。

はたしてこれは正しいのでしょうか？
それとも間違っているのでしょうか？
3択クイズにしてみましたので、ちょっと考えてみてください。

《クイズ①》
『この売り場から1億円が12本出ました！』という宝くじ売り場の貼り紙を見て、「まだ当たりの出ていないところで買ったほうが当たる確率が増す」と考えるのは正しいのでしょうか？

A．正しい。ほかのところで買うべきだ。
B．間違い。当たりがよく出るところで買ったほうが、長期的に見ると当たる確率も高くなる。
C．間違い。というか、そもそもどこで買おうがそんなの関係ない。

正解を導き出す鍵は、「1億円が12本」という数字をどうとらえるかにあります。

（考える時間↓10秒）


いかがですか？

答えは決まりましたか？


正解はCです。

1億円が12本出ていようが、100本出ていようが、そんなの関係ありません。

1億円が12本出たという事実はたしかにあったのでしょうが、そのことが自分の買う宝くじが高額当選するという根拠にはまったくならないのです。

なぜなら、仮に1億円が当たる確率が1000万分の1だとすると、宝くじの抽選に不正がないかぎり、どの売り場で買っても1000万分の1であることに変わりはないからです。

1億円が12本出ている売り場で買おうと、一度も出ていない売り場で買おうと、当たる確率は同じく1000万分の1です。

だいたい、ターミナル駅の前にある売り場のように、購入者の数が多いところほど、「1億円が12本」といった数字は出やすくなります。

つまり、「1億円が12本」という表現は、本来なら確率で示すべき宝くじの当選率を、絶対数で示しているのです。

そして、「1億円が12本」という数字による強いインパクトが、「当たりが多いという事実」と「自分が当たるかもしれないという期待」との関係のなさを気づかせにくくしているのです※。

※それでも多くの人が当たりの出る売り場に並んでしまう理由として、「どこで買っても一緒なのはわかっているけど、後悔しないために、よさそうなことはなんでもやりたい」という心理や、「みんなが並んでいるから自分も並ぼう」という集団心理もあるでしょう。しかし、これらにも合理性はありません。

さて、あなたは正解しましたか？

AやBを選んでしまった方は、「1億円が12本」という数字に見事に惑《まど》わされています。私の友人も、もっともらしいことはいっていたのですが、結局は惑わされていました。

「1億円が12本」という余計な数字が、人の思考に影響を与えたのです。

このように、**事実なのだろうけれど人の判断を惑わせる数字のことを、私は「禁じられた数字」と呼んでいます**。

これは私の造語なのですが、なぜそのように呼んでいるのかには、もちろん理由があります。

その理由を、これからボクシングの例を交えてお話ししましょう。

「禁じ手」だらけのボクシング

「第12ラウンドも終盤、形勢はチャンピオンが優勢です。

しかし、あーっと、ここで山田選手、サミング（目潰し）です！　グローブの親指のところでチャンピオンの目を潰しにかかっています。チャンピオン、目から血を流しながらもうまく離れて距離をとった。おーっと、山田選手、ここぞとばかりにボディに打ちこみます。そこに、チャンピオンの右カウンター！　ボディに入った!!　山田選手、よろけながらチャンピオンの腕に寄りかかります。あーっ、こ、こ、これは見事な噛《か》みつきです！　思いっきり噛みついています！　そして、チャンピオンの股間《こかん》を蹴りあげた！　チャンピオン、ダウン!!　……8、9、10　カン！　カン！　山田選手、KO勝利です!!」

こんなボクシングを見たことがありますか？

絶対にないはずです。

なぜなら、「サミング」も「噛みつき」も「股間攻撃」も反則行為だからです。股間を蹴りあげてKOなんて、ありえません。

これらは「禁じ手」と呼ばれているものです。

スポーツなどで安全性や公平性を保つために設けられた禁止事項のことです。

いかにも小学生がケンカでやりそうな、いわば誰にでもできる攻撃ですが、やってはいけません。

「強い奴を決めるんだから、なにをやっても自由だろう」と思う方もいるかもしれませんが、こんな危ないことが許されていては、戦いどころではありません。「やられたら、同じことをやり返してやる！」という話にもなると思います。

禁じ手という考え方の特徴は、「やろうと思えば誰にでもできるけれど、お互いのために決してやらない」という点にあります。

ルールで決められているからやらない、という次元ではないのです。

そのため、世の中には多種多様な格闘技がありますが、どんな格闘技でも禁じ手については共通した認識が持たれています（目潰し・噛みつき・股間攻撃はどんな格闘技でも禁じ手です）。

実は、上下巻をとおしてサブタイトルになっている「禁じられた数字」というネーミングは、この「禁じ手」からきています。

やろうと思えば誰にでもできる、数字の誤った使い方——それが、「禁じられた数字」です。

「禁じられた数字」がやっかいな理由

世の中には数字があふれています。

そのなかにはまったくデタラメな数字もありますが、そんな数字は論外で、許されるはずがない数字です。

それよりもタチが悪いのは、「事実だけれど正しくはない」という数字です。

たとえば、さきほどの宝くじの例で挙げた「1億円が12本」という数字。これは、実績としては事実だけれど、そこで宝くじを買う理由としては正しくない数字、まさに「事実だけれど正しくはない」数字です。

宝くじの例はかわいいケースですが、これをビジネスや広告、交渉の場で応用すると、人の判断を惑わし、人を騙《だま》す武器にもなります。

これはボクシングの「禁じ手」と同様、やろうと思えば誰にでもできるけれど、社会全体のために決して使うべきではない卑怯《ひきょう》な数字です。

だから、私はこれを「禁じられた数字」と呼んでいるのです。

そして、この「禁じられた数字」がきわめてやっかいなのは、**文字ならばしっかりと考えられるのに、数字になったとたんに思考停止に陥《おちい》る人が意外と多い点にあります**。

つまり、「禁じられた数字」に騙される人はとても多いのです。

騙されるな、そして信じるな

上巻では、数字を使いこなすためのさまざまな〝道具〟を紹介しましたが、この下巻では、まず第1章で「禁じられた数字」について、より具体的にお話しします。

「禁じられた数字」は正直者の皮をかぶった詐欺師《さぎし》みたいなもので、とても巧妙に私たちの生活に溶け込んでいます。

それらに騙されないようにするために、第1章では「禁じられた数字」、つまり数字の裏側にスポットを当てます。

数字の誤った使い方を知ることで、数字の裏側を常に読むことをテクニックとして習慣化するのです。

この章の目標は、「数字のウソから数字を学べ」です。

そして、第2章、第3章では、「禁じられた数字」が生み出される土壌《どじょう》（背景・原因）となっている、〝あるビジネス常識〟に言及します。

ビジネス常識が常に正しいとはかぎりません。時代の変化や知識の偏《かたよ》りによって、おかしなビジネス常識が堂々とまかりとおっていることもあるのです。

おかしなビジネス常識は信じてはいけません。

私は本書で、あるビジネス常識にNOを突きつけ、それらをひっくり返すつもりです。

このように、下巻では、数字や会計、ビジネスの知られざる裏側を紹介していきます。

しかし、ネガティブメッセージばかりを発信しても精神衛生上よくないので、第4章では、数字や会計、ビジネスの表と裏を踏まえたうえで、私たちはどのように頭脳を働かせていけばいいのか——についてお話しします。

『「食い逃げされてもバイトは雇うな」なんて大間違い』とは？

『「食い逃げされてもバイトは雇うな」なんて大間違い』という下巻のタイトルに驚いた方もいらっしゃるかもしれません。

「自分でいっておいて『大間違い』とはなにごとだ！」「上巻の話を信じていたのにひどい！」と憤慨《ふんがい》された方も、ご安心ください。**上巻の話は決して間違ってはいません。あれはあれで正解です。**

では、正解なのに、どうして私は「大間違い」だといっているのでしょうか？　その謎を自分で解いてみたい方は、クイズ感覚で答えを考えておいてください。

下巻の構成について

前述のように、第2章、第3章の内容は、「禁じられた数字」が生み出される土壌についてですが、それらは上巻や第1章のような、具体的なテクニックではなく、多《た》分《ぶん》に概念的な話なので、なかなかリアリティを感じることができないと思います。

そこで、第2章と第3章の冒頭には、キャラクターを用いた架空の話を「ケーススタディ」として入れてあります。

できれば読んでいただきたいのですが、小説形式が苦手な方は読み飛ばしていただいてもけっこうです。

それでは前置きはこのくらいにして、さっそく本文へとお進みください。

目次

第4章 ビジネスは二者択一ではない——妙手を打て

終　章　会計は世界の½しか語れない
――会計は科学

本文図版デザイン（31、229ページを除く）
南雲治嘉・斉藤理奈子・五味綾子（株式会社ハルメージ）

＊本書における「会計」の定義について
本書でいうところの「会計」とは、企業会計や管理会計・簿記《ぼき》・決算書といった具体的なものよりも大きな概念で、「金額重視主義」のような超合理的な考え方をも包括《ほうかつ》した幅広い意味で使用しています。

数字の達人は、特になにもしない

数字のウソ

第1章

「禁じられた数字」４つのパターン

私は「はじめに」で、「禁じられた数字」とはスポーツなどにおける「禁じ手」のような卑怯な数字のことである、といいました。しかし、これだと「数字の誤った使い方」は星の数ほどあることになり、なんだか漠然としています。

そこでこの第１章では、禁じられた数字の代表的なパターンを４つ挙げたいと思います。

もちろん実際には星の数ほど存在しますが、その４つをとおして、どういうものが禁じ手の数字なのかをつかんでいただきたいと思います。

禁じられた数字とは　その１「作られた数字」

まずひとつ目は、「作られた数字」です。

作られた数字とは、はじめから「こういう数字がほしい」という結果ありきで生まれた数字のことを指します。

たとえば、つぎのようなアンケートがあったとします。

Q．つぎの都市のなかで、いまいちばん行きたいところはどこですか？
ロンドン
パリ
ローマ
ハワイ

実際に私のまわりでこのアンケートをとったところ、つぎのような結果になりました（20〜30代の男女20名に聞きました）。

A．ロンドン　3人
パリ　5人
ローマ　4人
ハワイ　8人

この結果を見て、「ハワイの人気は断トツだなあ」ということには――なりませんよね？

そもそもこの設問には欠陥があります。

ヨーロッパの都市が３つあるのに対し、リゾート地はハワイひとつしかありません。そのせいで、ヨーロッパに観光しに行きたい人の票は分散し、リゾート地でゆっくりしたい人の票がハワイに集中したのです。

これがもし、パリ、ローマ、バリ島、ハワイ、という選択肢だったら、結果はまったく違っていたはずです。

つまりこれは、そもそも設問の段階で「ハワイ勝利」の結果が見えているアンケートなのです。

ですが、旅行会社のハワイ担当者なら、こういうアンケートから生まれた作られた数字を使って、『いま再び、若い世代にハワイ人気』などと宣伝するかもしれません。

そもそもアンケートというのは、前提条件や対象範囲のちょっとした違いによって、

3世代世帯割合と合計特殊出生率

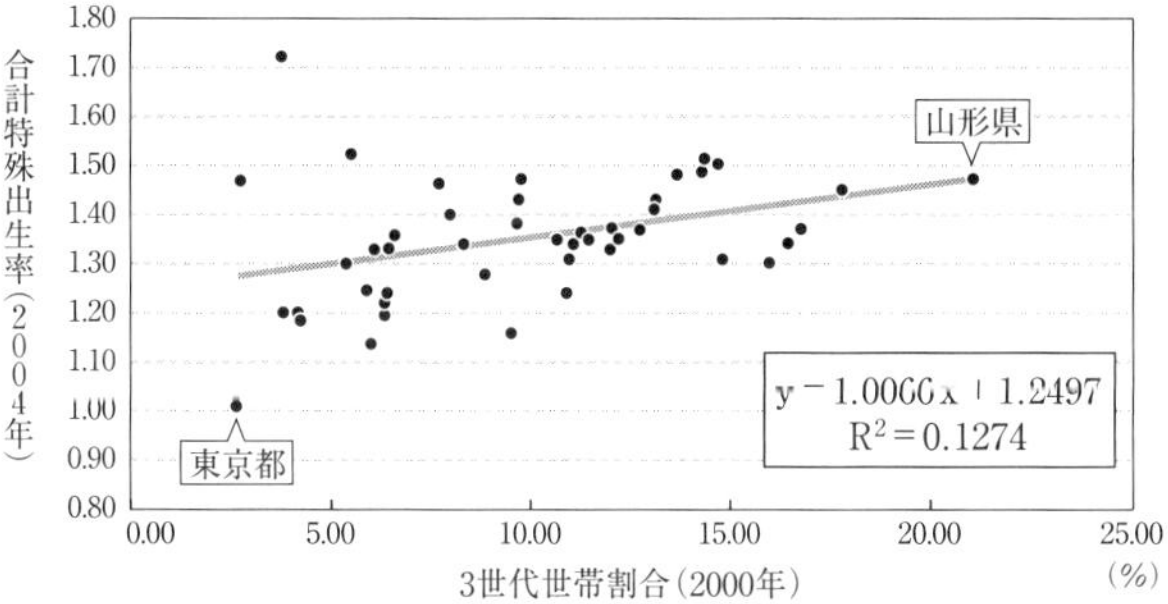

（注）総務省統計局「国勢調査」及び厚生労働省大臣官房統計情報部「人口動態統計」より厚生労働省政策統括官付政策評価官室作成

出てくる数字が異なってきます。

こうした特徴を悪用すれば、作られた数字は簡単にできてしまうのです。

少子化対策のトンデモ結論

実際に世の中に蔓延《まんえん》している、作られた数字の例を見てみましょう。

厚生労働白書（平成17年版）には、少子化の分析として「3世代世帯は子育てを助ける」という記述があります。

それによると、都道府県別の3世代世帯割合と出生率の関係を見ると、3世代世帯割合の高い地域では出生率も高い傾向がややうかがえる、というのです。

これは、3世代世帯割合が21%と高い山形県が出生率も1・47と高く、3世代世帯割合が3%と低い東京都が出生率も1・01と低いというところから導き出された結論のようなのですが、よく考えてみるとおかしな結論です。

そもそも、3世代世帯割合と出生率の関係からなにかを導き出すのは、無理があるのではないでしょうか。

なぜなら、よく考えてみると、**3世代世帯だから子供が生まれるのではなく、子供が生まれるから3世代世帯になるのです**。

出生率が高い地域は、必然的に3世代世帯割合も高くなるはずです。

それに、最近では同居ではなく、親の近所に住んで子育てを手伝ってもらう人も多くいます。両方の親に手伝ってもらおうと、それぞれの実家の中間に居《きょ》を構える夫婦も身近にいます。

その結果でしょうか、3世代世帯割合が低いのに出生率が高い沖縄県や、3世代世帯割合が高いのに出生率が低い秋田県といった例外が生まれてしまっています。

これでは、「3世代世帯が子育てに適している」という結論のために作られた数字を生み出している、といわれても仕方がないでしょう。

実はよくある「生き残りバイアス」

投資の世界でいうと、「生き残りバイアス（サバイバル・バイアス）」という話があります。

つぎの広告文を見てください。

当社の10本の投資信託、そのすべてがすばらしい運用実績です

そして広告には、すばらしい運用実績が数字で示されているのですが、その数字は事実であっても正しくはありません。

そう、巧妙に作られた数字なのです。

トリックはきわめて簡単で、１００本の投資信託を作って運用し、その成績上位10本の投資信託だけを残したらいいのです。

残りの90本はそもそも成績が悪いのですから、潰したところでたいした損害にはなりません。なによりも、10本だけを残すことで絶大な広告効果を手に入れることができます。

これは、除外されたものを考えずに、提示されたものだけを見て判断してしまう人間の習性を悪用した、作られた数字なのです。

ランキングを操作する人々

先日、知り合いのビジネス書の著者からこんな電話がありました。

「山田さんの本を大量に買ったんですけど、よかったら差しあげましょうか？」

著者といえども、手許《てもと》に自分の本が大量にあるわけではないので、私はありがたく頂戴することにしましたが、それにしたってなぜ彼が私の本を大量に？

理由をたずねると、彼は少し恥ずかしそうな声でこういいました。

「いえ、実は今度出た私の新刊で、『アマゾンキャンペーン』をやったんです。で、私の新刊が１０００円で、山田さんの本が５００円だったんですよね。そうすると１

５００円で送料が無料になるじゃないですか。まあ、組み合わせたのは山田さんの本だけではないんですけど」

私は驚きました。

噂には聞いていましたが、こんな身近にアマゾンキャンペーンをやる人がいるとは思わなかったのです。

アマゾンキャンペーンとは、インターネット書店アマゾンのベストセラーランキングで第1位をとるために、著者が大勢の人を動員して短時間でいっせいに本を購入するという集団行動です。

アマゾンでは1時間ごとのリアルタイムで売上ランキングが発表されているため、短期間に集中して買えば、かなり上位にランキングされるのです。

仮にその本が人気のない本であったとしても、ネットワークや資金力さえあれば比較的簡単に上位に入ることができます。

そして、アマゾンで第1位をとることができれば、ランキングを見た人に「すごく売れている本みたいだから買ってみよう」と思わせることができます。さらに、「アマゾンで第1位をとった」ことを武器に、書店に営業をかけることもできるのです。この「第1位」という数字自体に間違いはないのですが、これは明らかに作られた数字です。

このような話は、ネットの世界にかぎったことではありません。

書籍ランキングが新聞や雑誌でとりあげられるような大きな書店では、一括《いっかつ》大量購入があたりまえのように行われています。

ある会社の社長は、自分の本が出るときには社員や取引先を大量動員して、ランキングの出る大手書店で集中して本を買わせています。宗教団体の本でも、同様のケースが散見されます。

その結果、作られた書籍ランキングがメディアを通じて広く世間に知れ渡ることになるのです（書店やメディアによっては、そうしたランキングを正常化するために骨を折っているところもあります。）

また、ある音楽番組では、ゲストで呼ばれたアーティストの新曲は、ＣＤが売れていようといなかろうと、必ずその番組のベスト10に入るという不思議な現象が起きています。

これもランキング操作です。

番組を盛りあげるため、という意図もわかりますが、明らかにこれは作られた数字です。

ランキング操作というとものすごくダーティーなイメージですが、アマゾンキャンペーンなど、ネット上で堂々と行われ、少しもコソコソしていません。

それは、ランキング操作は、やるほうにとっては単なるビジネス戦略だからです。

これはもう、ランキングを見る側が自衛するしかありません。

ランキングというのは、数字が使われていますが決して絶対的なものではなく、その程度のものであると認識したほうがいいのでしょう。

禁じられた数字とは　その2「関係のない数字」

禁じられた数字の2つ目は、「関係のない数字」です。

関係のない数字とは、その名のとおり、関係がないのに使われている数字のことを指します。

まず思い出していただきたいのは、「はじめに」7ページでお話しした、宝くじ売り場の「1億円が12本」という数字。これも、自分が当たるかどうかにはまったく無関係な、関係のない数字です。

ほかにも、映画などで見かける「構想7年、ついに映画化」といった数字も、べつに関係のない数字です。

「製作7年」なら、「手をかけて作ったのかな」とも思いますが、「構想7年」はアイデアレベルの話なので、ムダに7年もかけて考えたか、なんらかの事情で映画化されなかっただけでしょう。

となると、「構想7年」は、その映画自体がおもしろい理由にはならないはずです。にもかかわらずこういった表現がよく使われるのは、「構想7年」という数字によるインパクトが強いからです。そして、**そのインパクトの強さが、「考えはじめたのが古いという事実」と「映画がおもしろいかもしれないという期待」との関係のなさ**

を気づかせにくくしているのです。

雑誌などで見かける「話題のイケメン俳優、激白60分」といった数字も、あまり関係のない数字です。なぜなら、「取材時間の長さ」と「記事の中身」は、直接的には関係がないからです。

60分とうたっておさながら雑誌のなかではちょっとしか紙面がないという、ページ数とすら比例しない場合もあります。

「激白60分」は、単なる事実の紹介でしかないのです。

ちなみに私の体験をお話しすると、取材の場合、あいさつや打ち合わせや写真撮影の時間もあるので、60分の取材時間のうち、実質的に語っているのは30分ぐらいがいいところでしょう。

投資をはじめるなら２５０万円？

先日、ある奥さんが私にたずねてきました。

「そろそろ投資信託とかをはじめようと思っているんですけど、２５０万円でいいでしょうか？」

「やけに具体的な金額ですね。どうして、２５０万円なんですか？」

「ママ友達で最近、投資をはじめた人がいて、彼女は２５０万円からスタートしたそうなんです。だから私もがんばって、２５０万円からはじめたほうがいいのかなって――」


この奥さんは間違いを犯そうとしています。

どこが間違っているのか、わかりますか？

投資で大切なのは、余裕資金で行うこと。当然、収入や手持ちの財産、将来設計によって各人の余裕資金は異なります。

にもかかわらず、この奥さんは自身の余裕資金の計算を無視して、「ママ友達が２５０万円だったから」という基準で投資をはじめようとしているのが、間違いなのです。

この奥さんがまずやるべきことは、自分にいくら余裕資金があるのかを把握することです。がんばって（ムリして）２５０万円を投資に使ってしまっては、実生活を危うくする可能性があります。

では、なぜこの奥さんは間違いを犯しそうになったのでしょうか？

それは、「250万円」という、身近な事実だけれど投資額の判断基準とは関係のない数字が、奥さんの目の前に魅惑的に存在していたからです。

思考停止させるテクニック

関係のない数字は、ときとして凶器にもなります。

たとえば、政治家がつぎのように言い出したとしたらどうでしょう。

「利用者は少ないかもしれないが、この空港を作るためにすでに800億円もかかっているのだから、いまさら中止することはできない」

この政治家は、単に「地元に建設費を落としたい」という理由だけでこう説得しようとしているのかもしれませんが、そんな事情はさておき、「800億円もかかっているなら、たしかにもったいない」と同調する人もいるでしょう。

しかしよく考えてください。

たしかに800億円という数字は事実でしょうが、「だからもったいない」という意見とは直接的な関係はありません。建設を続行した結果、もっと損をすることになるなら、もったいないどころではないからです。

大事なのは、今後、儲かるかどうかであって、過去の投入額ではありません。過去の投入額は「埋没原価《まいぼつげんか》（サンクコスト）」であり、続行か中止かの判断とは無関係なのです。今後、800億円という現在の赤字額が縮小するのか、逆に拡大するのか、という点だけが判断の基準になります※。

この政治家は、「800億円」という金額の大きさの持つインパクトを利用しているのでしょう。

つまり、インパクトの強い関係のない数字は、数字が苦手な人を思考停止させるにはもってこいの便利な道具（凶器）なのです。

※そもそも、８００億円もかかっているからもったいないと感じるのは、行動経済学的には「損失を認めたくない！」という「損失回避性」が発生しているからでもあります。

禁じられた数字とは　その３「根拠のない数字」

禁じられた数字の３つ目は、「根拠のない数字」です。

さしたる根拠がないのに、表現のなかに数字が使われているので、もっともらしく聞こえてしまう数字のことを指します。

私は仕事柄、企業の事業計画書を見る機会が多いのですが、つぎのようなケースに出会うことがあります。

〈売上高推移〉
２００６年　10億円（実績）
２００７年　20億円（実績）

２００８年　40億円（予測）
２００９年　80億円（予測）

私　「２００９年の80億円という数字は達成できるんですか？　今年（２００７年）の４倍ですよ」
社長「これまで倍増、倍増できているので、たぶん大丈夫ですよ」
私　「おたくの業界は市場規模がまだ２００億円なんですよ。いまのシェア（市場占有率）が１割なのに、２年後にシェアの４割をとることが可能なんですか？」
社長「そ、そうですね。おそらくその頃には市場も４倍になるのではないかと……」
私　（ふーっ。この人も寝ぼけたことを）

たしかに、これまでの実績から予測すると、倍増、倍増で売上が増えるかもしれません。しかし、市場サイズには限界があります。市場自体が大きくならなければ、話になりません。

また、売上規模を大きくするには、そもそも社内の人員を増やさなければなりませんが、採用した人材の育成が追いつくかどうかは疑問です。

この「単純な思考から生じた予測」という根拠のない数字は、端《はた》から見るとウソみたいに幼稚な話ですが、驚くべきことに本当によくあるケースなのです。

社内で「倍倍になったらいいねえ」と言い合っているだけならかわいいものですが、それを事業計画書として発表するとなると話は違ってきます。

上巻で私は、「数字は変化しないのでそこに信用が生まれる」と説明しました。**いったん数値化されると、人はその数字を素直に信じてしまいがちです。**

この予測数値も公に発表されれば、多くの人々が信じることになります。

こうした根拠のない数字は、やはり禁じられた数字です。

経済効果のウソ

「〇〇の優勝で経済効果１０００億円！」といった経済効果の数字がありますが、ホントかなあ、と思ったことはありませんか？

そう、あれも根拠のない（弱い）数字です。

その証拠に、同じ事柄でも、発表する機関によって金額は異なる場合がほとんどです。その理由は、分析者によって、経済効果の対象に含める範囲が違うからです。

また、経済効果には当然、「優勝セールに行ったから、この冬のバーゲンには行かなくていいわね」といったマイナス効果も発生するのですが、これが経済効果の金額から引き算されるわけではありません。

となると、ますます本当の経済効果は誰にもわからなくなります。

これもやはり禁じられた数字ではありますが、こういう根拠があるようなないような数字は、「もっと真実に近づけろ」と目くじらを立てるのではなく、「景気づけのための数字なんだよね」と温かい目で見守るぐらいがちょうどいいスタンスなのでしょう。

禁じられた数字とは　その４「机《き》上《じょう》の数字」

禁じられた数字の４つ目は、「机上の数字」です。

机上の数字とは、計算上はうまくいくけれども実際にはうまくいかない数字のことを指します。

たとえば、夏休みに２００ページの宿題を出された小学生が、「夏休みは40日間あるから一日５ページずつやっていけば大丈夫」と思い、毎日５ページだけやっていくようなものです。

当然ながら、夏休み中にはプール登校日やら家族旅行やら遊び疲れやらで、宿題ができない日が必ず出てきます。そのため、終盤には、予定がズレて残ってしまった宿題をヒイヒイいいながら一気にやらざるをえないハメになります。

求人広告のワナ

大人になっても、事情は同じです。

ここでクイズを出しましょう。

《クイズ②》

あなたはつぎの求人広告を見てどう思いますか？

『工場勤務。時給1000円。月30万円可。寮完備』

（考える時間→1分）

さて、月30万円もらえるんだからいい仕事だな、と一瞬でも思いませんでしたか？

もしそうだとしたら、広告主の思うツボです。

月30万円を時給1000円で割ると、300時間。

月30万円を得るためには、休みなしで30日間、毎日10時間も働かなければならないのです。

となると、なぜ「寮完備」なのかという裏側も見えてきます。死ぬほど働くので、住居と職場は近いほうがいいということなのでしょう。

それが短期間ならまだしも数カ月となると、まず身体が持たないでしょう。そもそも労働法違反です。

「月30万円」というのは、まさに机上の数字なのです※。

※実際にこれに似た求人広告を出した会社があり、会社は従業員から訴えられています。

中小企業の７割が危機ってホント？

「日本の中小企業の７割が赤字」という話を聞いたことがありませんか？

国税庁が法人税の数字をもとに発表している有名な数字です。

この数字をもとに、「中小企業の７割が危機だ」と論じている人も数多くいるのですが、それはナンセンスな話です。

というのも、ご存知の方も多いと思いますが、中小企業には本当は黒字なのにわざと赤字にしている会社がけっこうあるからです。

理由は簡単で、黒字になると税金をたくさんとられるからです。だから、社長自身や親族への給与額を増やすなどしてわざと赤字にし、税金を少なくしているのです。

ですから、たしかに経営が苦しい中小企業は多いでしょうが、「7割が危機」だというわけではないのです。

逆に、本当は赤字なのに、そのままだと銀行からの融資がストップするから、わざと黒字に粉飾《ふんしょく》している中小企業もけっこうあります。

となると、いったい中小企業の何割が危機なのかは、この数字からはさっぱりわかりません。

「7割が赤字」という数字は、本当に国税庁の机の上だけの数字なのです。

平均値は机上の数字

ビジネスにおいては、平均値というのも机上の数字です。

A社とB社の平均をとって、Cという数字が生まれたとします。しかし、Cという数字を持つ会社はどこにも存在しません。

平均値というのは、あくまでも架空の数字なのです。

高いコンサルタント料を誇るある経営コンサルタントは、各業種の会計数字の平均値をほぼ丸暗記していて、すぐに「製造業の使用総資本回転率の全国平均は１・０回転ですから、御社《おんしゃ》はまだ0.2回転分足りません」といったことを指摘して、会社の人から尊敬されるように仕向けています。

たしかに、その暗記力はすごいのですが、それはいったいなんの役に立つのでしょう。

たとえば、「売上20億円、利益マイナス2億円」という不振企業と、「売上２億円、利益１億円」という超優良企業の平均をとったとします。

すると、「売上11億円、利益マイナス５０００万円」という架空の不振企業が生まれるのですが、そこには超優良企業の数字は影も形も残りません。

つまり平均値は、うまくいっている会社とそうでない会社がゴチャ混ぜになっているので、その間をとった数字と比べても意味はないのです。

そもそも、扱っている製品が違えば、原価も市場も商慣習も異なるので、平均値と比べるのはますます意味がない行為になります。

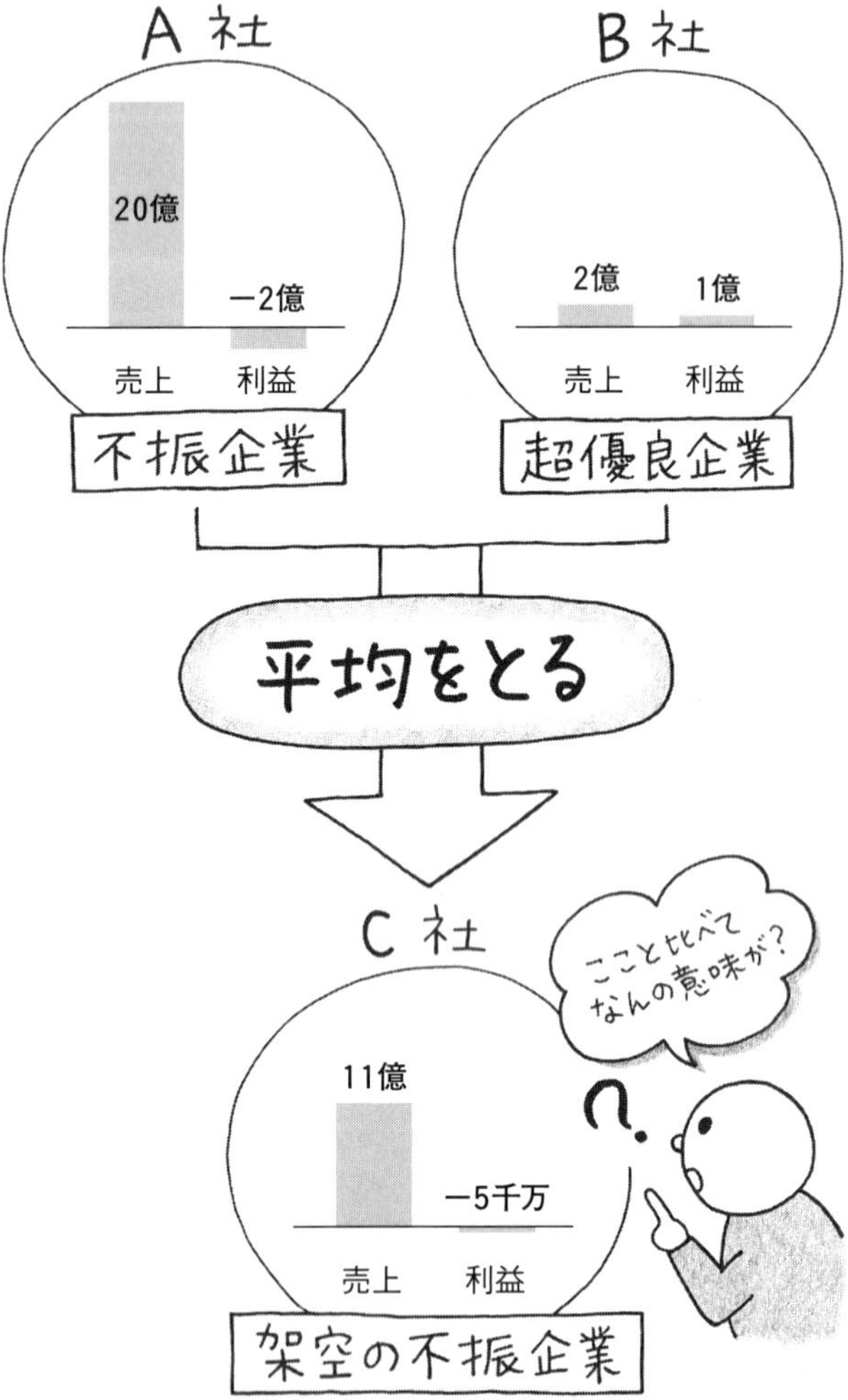
A 社
20億
−2億
売上
利益
不振企業
B 社
2億
1億
売上
利益
超優良企業
平均をとる
C 社
ここと比べて
なんの意味が？
11億
−5千万
売上
利益
架空の不振企業

平均値は比較しやすいので目安にはなりますが、それが経営の役に立つかという疑問です。

セブン&アイ・ホールディングスの鈴木敏文会長兼CEO（最高経営責任者）もつぎのように語っています。

「例えば、コンビニエンスストアで、人口が過疎な地域ながら、ご用聞きなどのサービスを積極的に行って一日の売り上げが50万円の店と、人口密度が高く、競合もほとんどなく、環境に恵まれながら売り上げが50万円の店とでは、同じ50万円でもまったく意味が違います。平均値は全部足してならしたものです。そんな平均値と比べて、高いか低いかを考えても意味がありません」

（「プレジデント」２００７年10月１日号より）

作られた数字である平均値は、その業界全体のことや自社の善《よ》し悪しがわかったつもりになる便利な数字です。自分が平均値より上か下かで一喜一憂《いっきいちゆう》するのは自由ですが、それはあくまでも目安でしかないことを忘れてはなりません。

平均値そのものに罪はありませんが、使い方を間違えれば、やはり禁じられた数字になってしまうのです。

数字に対して、「特になにもしない」

以上、「禁じられた数字」のパターンとして、「作られた数字」「関係のない数字」「根拠のない数字」「机上の数字」の４つを見てきました。

最初にもいいましたが、事実だけれど正しくはない禁じられた数字がやっかいなのは、数字を見るだけで思考停止する人がいたり、事実だけについ信頼してしまう点にあります。

数字の受け手である私たちは、数字を見たら疑ってかかる、もしくはそれほど信頼しないことが必要になってきます。

数字の裏側を読むことを習慣化するのです。

ちなみに、数字を得意としているプロたちは、ふだん数字に対してどう接しているのかというと、特になにもしていない人が多いです。

誤解のないようにいうと、数字の裏側を読むことを怠っているわけではなく、数字だからといって特別視していないのです。つまり、ほかの文字と同等に扱えるようになっているのです。

文字はあいまいだったり、ウソをついたりします。プロは数字に対しても同様に、「あいまいだったり、ウソをついたりするんだよなあ」と思いながら、日々、数字と向き合っているのです。

数字だからといって身構える必要はありません。

もともと数字も文字の一種なのですから。

ただ、これには慣れが必要なので、数字に対する免疫力が低い方は、まずは数字の裏側を常に読むようにしてください。

「禁じられた数字」より問題なもの

これまで「禁じられた数字」について見てきましたが、本当に問題なのは、数字そのものや禁じられた数字を生み出す個人ではなく、禁じられた数字が生み出される土壌にあります。

特にビジネスの世界では、禁じられた数字が生み出される土壌が顕著に存在し、私も仕事上よく目にしています。

そのため、ここから先は、ビジネスにおける〝禁じられた数字が生み出される土壌〟について見ていきます。

具体的には、特に禁じられた数字を生み出しやすい「計画」と「効率化」についてとりあげます。

つまり、計画や効率化で使われている数字は、禁じられた数字である可能性が高いということです。

つづく第2章では、まずケーススタディをとおして、ビジネスの現場でどのように

「計画」が禁じられた数字を生み出すのかについて見てみましょう。

《第1章のまとめ》

「禁じられた数字」とは?

- 「禁じられた数字」=数字の世界の禁じ手
  =事実だけれど正しくはない数字

→誰でも使おうと思えば使えるが、人の判断を惑わし、人を騙す武器にもなる

「禁じられた数字」には4つのパターン

①作られた数字　②関係のない数字　③根拠のない数字
④机上の数字

禁じられた数字①「作られた数字」

=はじめから「こういう結果がほしい」という結論ありきで生まれた数字
〈代表例〉誘導的な設問のアンケート、原因と結果が逆の統計調査、母数を無視した広告表示、操作されたランキング

禁じられた数字②「関係のない数字」

=本当は関係がないのに、さも関係がありそうに思わせる数字
〈代表例〉「この売り場から1億円が12本出ました!」「構想7年、ついに映画化」「800億円もかかっているから、いまさら中止できない」

禁じられた数字③「根拠のない数字」

=さしたる根拠がないのに、もっともらしく聞こえてしまう数字
〈代表例〉倍々で考える予測数値、経済効果の数字

禁じられた数字④「机上の数字」

=計算上はうまくいくけれども、実際にはうまくいかない数字
〈代表例〉「1日5ページずつやっていけば大丈夫」、時給1000円で「月30万円可」、「中小企業の7割が危機」、条件・環境を無視した平均値

数字のウソから数字を学べ

- 数字の裏側を読むことを習慣化する
  1. 数字を見たら疑ってかかる
  2. 数字をそれほど信頼しない
  3. 数字だからといって特別視しない(ほかの文字と同等に扱う)

第2章

天才CFOよりグラビアアイドルに学べ

計画信仰

ケーススタディ① 1億円を1週間で使い切れ!?

天才CFOの提案

自称〝天才〟の黒田は、積極的な出店で急成長を遂げた「小寺《こでら》フードストア」のCFO（最高財務責任者）である。先月とうとう株式上場を果たしたが、それも自分の指揮のおかげ、と黒田は自負していた。実際、まだ20代の彼に、社長の小寺も絶大な信頼を置いていた。

そして、暮れも押し迫った12月――「小寺フードストア」の決算月である――に、黒田CFOが突然こう言い出した。

「秋以降の原価のコストダウンが予想以上にうまくいったため、利益が出すぎました。そのため、年内に1億円を使い切る必要があります」

小寺社長は驚いた。

「年内といっても、あと1週間しかないよ、黒田くん」

「そうです、1週間で1億円を使い切るのですよ」

沈黙する小寺社長に、黒田CFOは眼鏡を指で押しあげながらいった。

「株主を裏切らないためには、利益を調整しなければなりません。決算日まで時間がないので、役員会にかける暇もありません。僕に全権を委任してください、社長」

小寺社長はさすがに迷ったが、信頼する黒田CFOのことなので、結局了承した。

しかし、このやり取りを聞いていた経理課長の栗山は不安に思い、監査法人の担当者である公認会計士、藤原萌実《ふじわらもえみ》に電話をかけた。

＊

利益演出

翌日、後輩の柿本《かきもと》を連れてやってきた萌実は、栗山課長から事情を聞いた。

「ふーん、なるほどね。それで、どうして私に相談するわけ？」

「黒田CFOがすごいことは私も認めるのですが、いつも強引なところがありまして……。

今回の場合、小寺社長も積極的に承認したわけではないというか、あまり乗り気でなかったというか……それでなんとなく………」

「なんとなくって、私を呼びつけたわりには、ハッキリしない理由ね」

むくれる萌実に、柿本はあきれた。

「萌《もえ》さん、昨日は『なんだかおもしろそうだから行ってみよう〜』って喜んでいたじゃないですか」

「うるさいわねえ。それでアンタはどう思うのよ、カッキー？」

「そうですね……今度の決算に関わることですし、事前に1億円の使い道については聞いておいたほうがいいと思います」

「1億円という金額については？」

「はっきりいって、大きすぎます。年商60億円、営業利益4億円という規模の会社が、利益額を演出するために1億円を人為的に使い切るなんて聞いたことがありません。上場企業として、倫理的にもどうかと思います」

「倫理的なことはこの際、おいておきなさい。私たちが経営判断にまで口出しする権利はないんだからね。それに、アンタは聞いたことがないかもしれないけど、こういう『利益演出』はよくある話よ」

「よくある話なんですか？」

驚きの声をあげたのは、柿本ではなく栗山課長だった。

計画どおりにする必要

栗山課長は遠慮がちに聞いた。

「あの……すみません。実はどうして利益を１億円も減らさなければならないのか、よくわからないのです。せっかく稼いだ利益を減らすなんてもったいない……節税というのなら話はわかるのですが、どうもそういうわけではなさそうで……」

「今回は節税が目的じゃないわ。当初の計画どおりにすることが目的なのよ」

「たしかに事業計画よりも１億円多いですが……儲けすぎるのが、そんなに問題なんでしょうか？」

「大問題よ、上場会社なんだから。つまりね、計画どおりじゃないと、そもそもの計画が間違っていたということになって、『計画作成能力が欠如した会社』と評価されるのよ」

「上方修正すればよいのではないでしょうか。上にする分には、問題ないのではありませんか……？」

「そういうわけにはいかないのよ。上にブレても、下にブレても、『業績を修正する』という事実に変わりはないからね。しかも、上場直後の業績修正なんて、アイツ、黒田ＣＦＯのプライドが許さないでしょうね。上場審査でも、計画を立ててそのとおり実行できるかどうかが重視されたでしょう？　それは、計画が狂うことが株主に迷惑をかけることになるからなのよ」

「なるほど……だから計画どおりにするために、今年の利益を４億円から３億円に減らす必要があるんですね……」

成長性の演出

「あー、それだけじゃないわよ。この会社は新興市場に上場したばかりだから、成長性の問題もあるの」

そういうと、萌実はペンをとった。

「この会社の営業利益は一昨年が１億円、去年が２億円だった。そして、今年はこのままだと４億円」

萌実は白紙に点を打ったあと、線で結んだ。

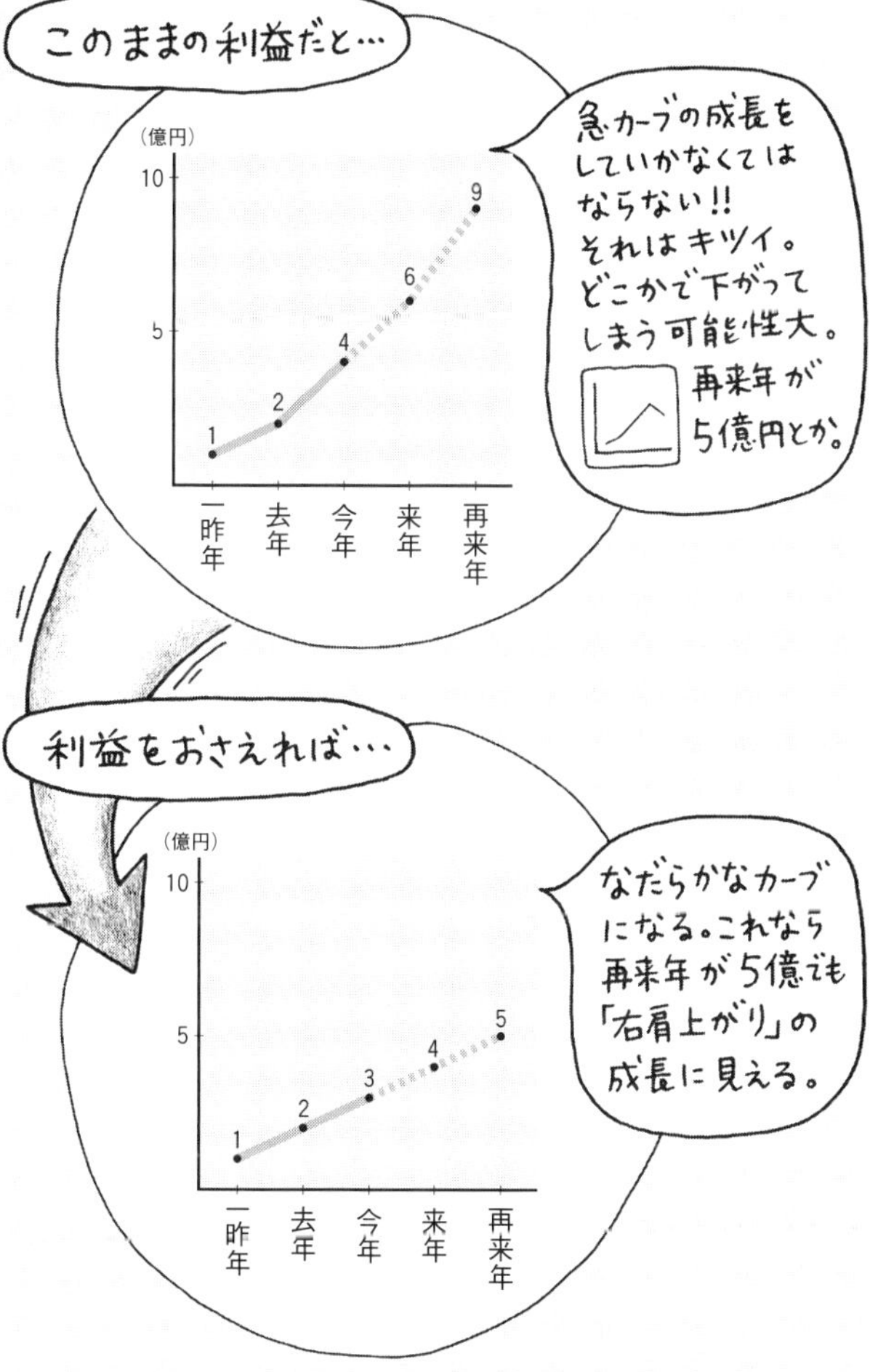

このままの利益だと…
(億円)
10
5
1
2
4
6
9
一昨年
去年
今年
来年
再来年
急カーブの成長をしていかなくてはならない!!
それはキツイ。
どこかで下がってしまう可能性大。
再来年が5億円とか。
利益をおさえれば…
(億円)
10
5
1
2
3
4
5
一昨年
去年
今年
来年
再来年
なだらかなカーブになる。これなら再来年が5億でも「右肩上がり」の成長に見える。

「ほらね、成長が急カーブになるでしょう。このままだと来年は6億円、再来年は9億円ぐらいの利益を出さなきゃ成長性は演出できないわ。それだと、のちのちたいへんになるじゃない」

「ということは……今年を3億円におさえたら、来年は4億円ぐらいでいいということですか」

「そういうこと」

萌実は先ほど描いた急カーブの線の下に、なだらかなカーブの線を描いた。

「成長性の演出をする場合、常に一定の成長率で伸びていくことが大切だからね」

「なるほど。上場したばかりの会社は、こうしたことに気を使う必要があるんですね」

「――」

栗山課長の言葉に、萌実は返事をしなかった。

「栗山さん、ちょっと大急ぎで小寺社長と黒田ＣＦＯに会わせてくれないかしら」

「黒田は今日一日外に出ているのですが、社長なら、ちょうど部屋にいましたよ」

「じゃあ、小寺社長だけでいいわ。すぐに会わせてくれない？」

こうして、萌実と柿本は栗山課長の案内で社長室へと向かった。

小寺社長はまだ40代と若いにもかかわらず、ものごとをじっくり考える温厚な人物で、社内での人望も厚かった。業界への影響力や、人脈についても申し分ないのだが、会計にはまったくといっていいほど詳しくない。

「で、小寺社長。今回の件はどう思っているの？」

萌実は単刀直入に聞いた。

「いやあ、そういうこともあるんだな、と思っただけですよ。まあたしかに、驚きはしましたが」

ぽっちゃりタイプの小寺社長は、笑顔で頭をかきながらいった。

「１億円という数字については？」

「ずいぶん大きいな、とは。ただ、うちには１億円売り上げる店もたくさんあるので、１店分ぐらいかなあ、と。そのくらいなら、まあ、いいかなと」

小寺社長には、金額を瞬時に身近なものに置き換える能力があって、こういった数字のセンスについては萌実も一目置いていた。しかし——。

利益の1億円

「――あのね、それは売上の1億円でしょう。今回の話は利益の1億円よ」

小寺社長は、3秒ほど首をひねってから口を開いた。

「売上の1億円と利益の1億円とでは、なにか違うんですか?」

「雲泥《うんでい》の差よ。売上から費用を引いたものが利益なんだから」

「あー。私、会計はそのあたりからよくわからないんで……」

「ええっと、悪かったわね、社長――言い方を換えると、100円を売り上げるのと、100円の粗利《あらり》を出すのとでは、どちらが簡単かしら?」

「それは100円の売上のほうが簡単ですよ。100円の粗利を出そうと思ったら、400円は売り上げないと無理ですから」

萌実からすると不思議なことに、商売人というのは「粗利」という言葉には敏感だ。頭のなかで瞬時にいろいろな要素を踏まえて数字をはじき出すことすらできる。

「そう、そういうこと。で、利益にはいろんな利益があって、粗利もそのうちのひとつよ。だから、1億円の売上は簡単でも、1億円の利益を得るのにはたいへんな努力が必要なの」

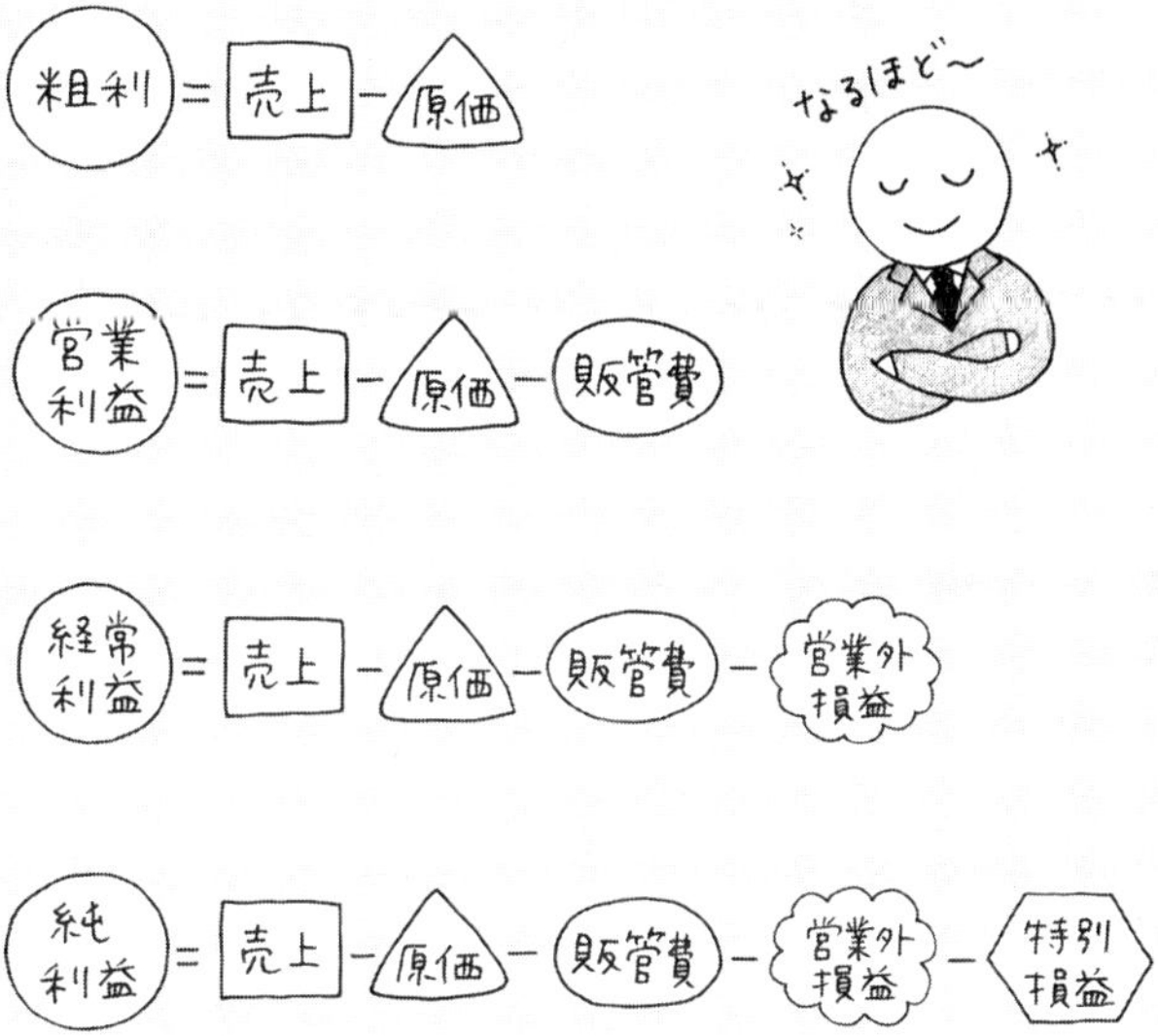
粗利＝売上－原価
営業利益＝売上－原価－販管費
経常利益＝売上－原価－販管費－営業外損益
純利益＝売上－原価－販管費－営業外損益－特別損益
なるほど〜

※ビジネス上よく使うのが「粗利」
新聞などでよく見るのが「経常利益」
最終利益とも呼ばれるのが「純利益」

「なるほどなるほど。ということは、今回の1億円を使い切るという話は?」

「苦労して稼いだ利益の1億円を、たった1週間で使い切っちゃうということなの。わかる?」

「おかげでなんとなく。利益の1億円というのは、うちの店でいうと、だいたい15店舗分の利益か……それは、ずいぶんともったいないな。どうして無理に使わなければいけないんでしょうね?」

いまさらながらに小寺社長がいうと、栗山課長が口を開いた。

「それは、藤原先生によれば、事業計画に合わせるためだそうです」

栗山課長は、さきほど萌実から教わったことを小寺社長に説明した。

「なるほど、上場した以上は仕方がないのか……でも……」

小寺社長は思案するように首をかたむけた。

「上場前も、年末に急いで経費を使うことがあったよね、栗山くん?」

「あれは、節税対策です。『10万円未満の備品は、12月中に買っておいてください』と経理課から各店に通知を出すことがありましたが、これは12月までに買うことで節税できるので、お願いしていたのです」

なるほどなるほど、とうなずく小寺社長の横で、萌実は渋い顔をした。

「まあ、ねえ。備品を前倒しで買うくらいのことだったらべつにいいんだけどねー。今回は1億円だから、もっと慎重にしてほしいんだけど」

『資産』ではなく『費用』がほしい

ぼやく萌実に向かって、小寺社長が質問を投げかけた。

「藤原先生、1億円もの大金を黒田くんはなにに使うつもりなんでしょうね？　土地、建物、高級車……もしかして飛行機？」

「いいえ、それはないわ。不動産や乗り物は『資産』であって『費用』ではないから、今回の利益を圧縮させる話とは関係がないの」

「んん？」

小寺社長が目を白黒させる。

「売上から費用を引いたものが利益、という話はさっきしたわね。つまり、今回増やさなければいけないものは『費用』なの。ところが、不動産や車は『資産』なのよ。だから、この話にはまったく関係がないの」

「うーん、むずかしいなあ。『費用』と『資産』の違いは、なんなんでしょうね?」

「簡単にいうと、『費用』は使ってなくなっちゃうもの、『資産』は長年会社で使われる財産のことよ」

		(代表例)	(備考)
費用	使ってなくなるもの	備品、広告費、研修費、貸倒《かしだおれ》損失	
資産	長年使われる財産	不動産、在庫、資金、株式	減価償却《げんかしょうきゃく》を行う(134ページ)

「じゃあ、建物や車は長年使うし、会社の財産だから『資産』ということですか?」

「そう」

「では、ボールペンや電球といったモノも、すぐに使い切れば『費用』で、長年使えば『資産』になる?」

「うーん。まあ、そういうことになるわね」

「萌さん、それは違うじゃないですか!」

柿本がいった。

「待って、カッキー。アンタみたいな実務にどっぷりつかっている人間には不思議かもしれないけど、会計の理論上はそうなのよ。少額のモノでも長年使うのであれば、それは『資産』なの。ただ、実務上は少額のモノまで『資産』にすると管理がたいへんになるから、10万円未満なら『費用』でいいという税法上の基準を使っているだけなのよ※」

「うーん、たしかに『資産』は資産台帳を使って管理して、毎年、減価償却費を計上しなければいけませんからね。いくら長年使ったとしても、ボールペンの減価償却なんて、したくありませんね……」

ふたりの会話を聞いていた小寺社長は、ちょっと考え込んだ。

「ちょっと、待ってください。10万円未満の備品しか『費用』にならないのであれば、1億円の『費用』なんて、黒田くんはいったいどうするつもりなのでしょうか……そうか、10万円弱の備品を１０００個購入すれば！」

「あー、その手は使わないでしょうね。備品はいずれ使わなきゃならないんだから」

※会計の基準と税法で決められている基準は違います。

商品仕入れや投資だと、どうなる？

「なるほど……そうだ、では１億円の商品を仕入れるというのはどうでしょう？　私にしてはなかなかの名案だと思いますが」

小寺社長が丸い顔に自信をみなぎらせながらいった。だが、萌実はすげなく首を横に振る。

「それもダメなの。商品の仕入れは〈在庫〉といって『資産』のひとつだから」

そこに柿本がまた口を挟む。

「でも、萌さん。12月中に売れたらその商品の１億円は〈売上原価〉になりますから、『費用』ですよ」

「カッキー。アンタ、バッカじゃないの。12月中に売れたら〈売上〉も発生するんだから、逆に『利益』も増えちゃうじゃない。それとも、１億円で仕入れた商品を１円で売れとでもいうの？」

「す、すみません。そこまで頭が回りませんでした……」

「２手ぐらい先は読んでよね」

今度は栗山課長が口を開く。

「あの、１億円をどこかの会社に投資するとか、お金を貸すというのはどうでしょう……？」

「ブーッ。それもダメ。投資は〈出資金〉、お金の貸し付けは〈貸付金〉といって、いずれも『資産』のひとつよ。仮に投資先や貸付先が倒産でもしたら、回収不能ということで〈貸倒損失〉という名の『費用』になるけど、１週間以内に倒産する会社を見つけるのは至難の業《わざ》ね」

「萌さん。この際、ペーパーカンパニーを作っちゃって、そこに投資して計画的に倒産させるというのは……」

「カッキー！　それじゃまるっきり粉飾じゃないの！　おそらくアイツ、黒田ＣＦＯでもそこまで危ない橋は渡らないわよ」

「そうですね……あっ、そういえば僕、ある会社が利益を減らすためにヘリコプターを購入して、すぐに太平洋上で行方不明にさせたという話を聞いたことがありますけど、それも粉飾になるんでしょうか、萌さん」

「……それは粉飾じゃなくって、きっと都市伝説よ……」

費用になる切り札

「うーん、お手上げだ。藤原先生、教えてください。どういうものがすぐに費用になるのでしょうか？」

小寺社長が眉《まゆ》を八の字にして聞く。

「そうねえ。代表的なのは広告費かしら」

「広告費？」

「利益を減らすために、広告を出したり折込チラシを配ったりするのよ」

「ああ、そういえば友人の会社がやっていたなあ。新聞に大きな広告を打っていたので、『どうしたんだよ』と聞いたら、『いやー、利益が出すぎて』といわれたんですよ。あのときは意味がわからなかったけど、こういうことだったのか」

「まだあるわよ。コンサルタントを頼んで多額のコンサルタントフィーを払ったり、大規模な社員研修を行って多額の研修費を計上するとか……ただ、残念なことに、どれもあと1週間では無理ね」

「そうか、1週間では無理か……ほかにはなにかないんですかね？」

小寺社長の八の字がさらに深くなる。

「まあ、禁じ手としてはもう12月の営業をやめちゃう、というのがあるわよ。これなら売上は増えない一方、経費だけはかかるから利益は減るわ。どう？」

萌実の言葉に、小寺社長は即座に首を横に振った。人のいい顔が、経営者の顔つきに変わる。

「それはできません。お客様にご迷惑をかけるようなことは、絶対にしたくありません。それに、うちの信用問題に関わります」

「そのとおりよ。だから禁じ手なの。だいたい、変なマネができないように、会計はうまくできているのよ」

「藤原先生……もっとほかに、ちゃんとした手はないんですかねえ」

小寺社長の眉がまた八の字になった。

「そうね、ありきたりの手だけど決算賞与とかでいいんじゃないかしら」

「特別ボーナスみたいなものですか？」

「その理解で間違ってはいないわ」

「社長、それは名案ですよ！　賞与なら、べつに今月中に払わなくても、来月までに払えば今年の決算に含められます。それに社員みんなも喜びますよ！」

栗山課長は嬉々《きき》としていった。

「えーっと、カッキー。この会社だとひとり当たりどれくらいの賞与になりそう？」

「正社員は50人ですから、ひとり当たり平均２００万円のボーナスになりますね※」

「２００万円!?　それだけあったら、私も車が買い替えられます！」

そう叫んだ栗山課長は、みんなに白い目で見られて、コホンと咳払いをした。

「とにかく、いい手があってよかった。黒田さんもこれを考えているんでしょうか、社長？」

栗山課長の問いかけに、小寺社長は答えなかった。そしてその額には、深いしわが刻まれていたのだった——。

※ちなみに、社員への決算賞与は節税になりますが、役員への決算賞与は節税にはなりません（役員への賞与は節税に使われやすいので規制が多いのです）。

＊

うまく解決？

その日は、「やはり黒田ＣＦＯがいないと話にならない」ということで、いったんお開きになった。萌実はそのあと地方への出張予定がつづいていたので、1億円の使い道がわかったら柿本に連絡するよう、栗山課長に頼んでおいた。

ところが、それから5日経っても萌実の耳になにも入ってこない。そしてとうとう、1億円を使い切る期限の前日になってしまった。

萌実は東京に戻ってくるとすぐ、監査法人の事務所内でのんびりしていた柿本をつかまえた。

「カッキー、『小寺フードストア』の件はどうなったの？　明日であの会社も仕事納めでしょう。例の期限は明日じゃない」

「あっ。そういえば、栗山課長から連絡がありませんね」

「アンタからは連絡していないの？」

「ええ、便りがないのはよい便り、といいますか。まあ、無事にやっているんじゃないかと」

「――つまり、それはカッキーの推測にすぎないということね」

萌実はジロリと柿本を睨《にら》んだ。

「す、すみませんでした！　いますぐ様子を聞いてみます！」

柿本はあわてて受話器を手にとった。

「もしもし、柿本ですが。お世話になっております——えっ、そうなんですか。それはよかったです」

しばらくして、電話を終えた柿本は萌実に報告した。

「萌さん、『小寺フードストア』の件、どうやらうまく解決したようですよ」

「うまく解決、ってどういうことよ。決算賞与を出すことにしたの？」

「決算賞与については黒田ＣＦＯが反対したそうです。『従業員は一度甘い汁を吸うと翌年からも期待してしまうから、安易に報酬を増やすのは良くない』といって」

「うーん。まあ、それも間違いではないけどね。栗山課長、あんなに喜んでいたのに残念だったわねー」

「それで、黒田ＣＦＯにとびきりの名案があるということで、その案が採用されたようです」

「なによ、その名案って」

「保険っていっていましたよ。てーぞー定期保険とかなんとか」

「逓増《ていぞう》定期保険⁉」

萌実の顔色が変わったのを見て、柿本のほうが驚いた。

「萌さん、どうかしたんですか？」

「……たしかに保険料は『費用』になるし、アイツなら1週間で加入できる保険屋を手配できるでしょうけど。でも、ホントにふざけるんじゃないわよ！　だから、使い道が決まったらすぐに連絡するようにっていったのに！」

節税保険の性質

「萌さん、その保険ってよっぽど問題なんですか？」

「保険に問題があるっていうか、利益演出に『保険を使う』っていう考え方が危険なのよ」

「でも、保険ならどの会社も入っていますよ。『小寺フードストア』だって先日、保険の見直しをして保険料を安くしてもらったばかりだったじゃないですか」

「だ・か・ら、危険なのよ。すでに入っている保険で十分なんでしょう。それなのに利益演出のために、重ねて保険に入った。本来、入る必要のない保険にね」

「そういえば、保険は節税対策になるってよくいわれていますよね」

「そうよ。いわゆる『節税保険』は、解約すると払い込んだ金額の大部分が解約返戻金《へんれいきん》として戻ってくるから、ある意味、定期預金としての性質も持つの」

「つまり、保障と預金の一石二鳥みたいな感じなんですね」

「利益があるときに保険に入って、損失が出たときに保険を解約すれば、赤字を穴埋めできるだけでなく、税効果により一時的に納税額を減らすこともできるのよ」

「だったら、いいことずくめじゃないですか」

「そうね。そういう理由で節税保険は昔から人気だったんだけど、こんな節税を国税庁が見逃すわけもないから、年々規制が厳しくなっているの※。ただ、法の目をかいくぐった節税保険はまだいくつか存在しているっていうわけ」

「それじゃ、今回の逓増定期保険もそのひとつというわけですか」

「そういうこと」

萌実はため息をついて、つづけた。

「広告費や決算賞与だったら短期的な問題だから、そんなに心配しなくてもよかったんだけど。保険となるとそうはいかないわ……」

「というと？」

「保険は長期的な問題に関わるの。会社が会計上の長期的な問題を抱えると、取り返しのつかないことになりかねないわ。いわゆる会計の縛りが発生して、会社の存続にも関わってきちゃうのよ」

「会計の縛り?!」

「将来のお金の使い道が、会計のせいで縛られてしまうことよ。お金だけに、金縛りとでもいうべきかしら」

「……」

「――。と、ともかく、こうしちゃいられないわねっ」

萌実はそそくさと事務所を出て行った。萌実のダジャレに、それこそ金縛りにあっていた柿本もあわてて追いかけた。

※これまで全額損金に認めていたものを、「半分は損金ではなく、資産として計上しなさい」とする、つまり全額損金にはさせない規制が、年々強化されています。

自称天才との対決

萌実は「小寺フードストア」のオフィスに入るなり叫んだ。

「黒田！　黒田はどこにいるのっ！」

「萌さん、いくらなんでもＣＦＯを呼び捨てって……」

柿本は目を丸くしたが、萌実はおかまいなしだ。

「今日はいるんでしょう。出てきなさいよ、黒田！」

「――ほう、藤原さんじゃありませんか。僕は逃げも隠れもしませんよ。それにしても、あなたはあいかわらず元気ですね」

「黒田、聞いたわよ。１億円の使い道……！」

「そうでしょうね。聞いたらすごい剣幕《けんまく》で乗り込んでくることはわかっていたから、あなたたちには連絡させなかったんですが」

「アンタって人はどこまでも……ということは、今度の保険がなにを意味するかわかっているんでしょうねえ」

「ああ、もちろんです。〝天才〟ＣＦＯにわからないことなど、なにひとつありません」

「バッカじゃないの。〝自称天才〟の間違いでしょう」

「ふん、あなたはあいかわらずですね。昔はずいぶんと僕に説教をたれてくれましたが、いまでは僕は上場企業のＣＦＯ、かたやあなたはしがない監査法人の職員なんですよ。雲泥の差だということをわかっているのですか」

「知らないわよ、そんなこと。それより保険よ！」

「保険の件は、小寺社長にも納得してもらっていることです。いまさらあなたがなにをいおうと、どうにもならない。もし、本気で首をつっこむつもりなら、それは経営判断への口出しですよ。外部の人間にそこまでする権利はないはずです」

「……わかったわ。でも小寺社長には会わせてちょうだい。それくらい、監査人《かんさにん》として権利はあるでしょう」

黒田ＣＦＯはフンと鼻を鳴らすと、萌実と柿本を社長室へと案内した。

9割戻ってくるカラクリ

「小寺社長、今回の保険の説明はちゃんと受けたの？」

「ええ。私にかけた生命保険のことですね。さすが我が社自慢のＣＦＯ、いい保険を知っていて……もし私が死んでも、会社が困らないくらいの多額の保険金が会社に入るそうなんです」

「30億円もの保険金が入ってくるのですよ。とてもお買い得な保険でしょう、藤原さん」

黒田ＣＦＯがニヤリと笑った。

「毎年１億円も保険料を払えば、それだけの保険金になるのはあたりまえよ。——つまり、これから毎年１億円もの保険料を払いつづけるのよ。経営的にもたいへんになるってわかっているの、社長？」

社長の眉が少し八の字になった。社長の代わりに黒田ＣＦＯが口を開く。

「あなたもわかっていませんね。それはがんばって売上を増やすしかないのです。まあ、保険料が払えなくなったら、途中で解約すればいいのですから」

「２、３年で解約したら半分も返ってこないのよ！　１億円の保険料を払って５０００万円しか返ってこなかったら、ホント大笑いよ」

「しかしですね、藤原さん。今回の保険は5年目に解約すれば、そのほとんどが解約返戻金として戻ってくるのです。計画的にすれば問題ありません」

〈ある逓増定期保険の解約返戻率〉

１年後	17％
３年後	54％

5年後	90%
7年後	87%
9年後	73%
11年度	49%

「でも、9割ぐらいが限度でしょう。5年間払えば、5000万円の支出よ」

〈年1億円の保険を5年後に解約する〉
『1億円×5年分×解約返戻率90%＝4.5億円
支払5億円－受取4.5億円＝5000万円』

↓

5年間で5000万円の支出

『9割戻ってくる』といったら聞こえはいいけど、実質は『5000万円の支払い』よ。
言い方でずいぶんと印象が変わってくるけど、このへんは、ちょっとした数字のマジックね」

「そうか、5000万円の支払いか……」

小寺社長はちょっとショックを受けた様子だった。

「それに、この5000万円の支出には、目に見えない悪影響だってあるわよ」

「どういうことですか、藤原先生？」

「ふだん、どんなに細かい金額のコスト削減に精を出していたとしてもね、利益演出のためだけに5000万円──1年あたり1000万円も使ってしまうのよ。そんなこと知ったら、社員のコスト削減意識だって失《う》せるわ」

萌実の言葉に、黒田CFOが反論した。

「ふふっ、それは問題ありません。そんなことを社員に知らせる必要はないのですから。社員の士気《しき》をダウンさせるような数字はわざわざ公開すべきではないのです」

「アンタ、この会社を上場させたんでしょう？　上場したら情報公開は避けられないわ。いっていることと、やろうとしていることが矛盾しているじゃないの」

「僕は、たとえ上場しても隠すべきところは可能なかぎり隠しますよ。それが経営というものでしょう」

「都合のいいように経営って言葉を使わないでくれる？　それに、保険料が1億円なんて決算書に出たら、ひと目で不自然だってわかるわ。そうそう隠しとおせないわよ」

「フン、そんな細かいところを気にする投資家や社員がどれだけいますか？」

「……アナリストの目はそこまでフシ穴じゃないわよ」

「でも、なんとでも言い訳はできますよ。言葉は便利です。言葉は数字をくつがえすことができますから」

「――まあ、現実を考えるとそれも一理あるかもね。でもね、そんなやり方、いつかは破綻《はたん》するわよ」

将来への影響、会計の縛り

「でも、藤原先生。私がもらった資料には、５年目に解約すれば１４０％戻ってくると書いてありましたよ。結局、得をするんじゃないんですか？」

小寺社長が指摘した。

「それは『実質返戻率』のことね。税金の話だからちょっとむずかしくなるけど、これも数字のトリックよ。この実質返戻率っていう数字は、５年後の解約返戻金4.5億円にも税金がかかるっていうことを計算に入れていない数字なの」

「どういうことですか?」

「解約返戻金4.5億円だって収益なんだから、全額が懐《ふところ》に入るわけじゃないわ。4.5億円に40%の税金がかかるとすると、1.8億円は国に納めなきゃいけないのよ※。戻ってきたお金にも税金がかかるっていう、そんな当然のことを計算に入れていない作られた数字が実質返戻率なの」

「そ、そんな数字だったんですか……」

※そのため、解約返戻金が戻るときに、計画的に「役員退職金」などの損失を出して収益と相殺《そうさい》させることで、税金を払わない方法をとることもできます。しかし、上場企業がこのような目的で計画的に損失を出すことは実質不可能であり、非上場企業であっても損失を出すのが1年でもズレれば税務メリットは受けられないので、慎重に計画を進めなければなりません。

「そもそも、今回の逓増定期保険だと5年後には解約しなければならないんだから、5年後の決算では4.5億円の雑《ざつ》収入が発生するわ。右肩上がりの成長を演出しつづけるためには、5年後の4.5億円の利益増加も見越した利益計画を立てなければならないのよ。このことに気づいてた？」

萌実の言葉に小寺社長は驚いた。お金が戻ってきたときのことなど、まったく頭になかったのだ。今回、１億円の利益を調整するのにもこの騒ぎだったのに、4.5億円もの利益が過剰に発生してしまったら、どうなるのだろうか。小寺社長は不安になった。

「4.5億円の利益を調整するために、また保険にでも入るつもり？　今度は年間１億円の保険料じゃ、すまないわよ」

ところが黒田ＣＦＯは萌実の指摘を笑い飛ばした。

「僕は〝天才〟だから大丈夫です。それを織《お》り込んだ計画を作りますよ」

「そんな利益計画に縛られた経営が、これからもつづけられると思っているの？　利益が増えすぎたらおさえる、少なすぎたらつけ足す、そんな作り物の経営は長続きしないわ。そんなことのために、ムダな労力やお金が消費されるのよ。会計の縛りのせいで、会社を疲弊《ひへい》させるだけだわ」

「あいかわらずわかっていませんね、藤原さんは。そこがＣＦＯの腕の見せどころじゃないですか」

「逓増定期保険はもう国税庁に目をつけられているって、アンタも知っているでしょう？

全額損金が認められなくなるのも時間の問題よ。もちろん、税務上認められないものは会計上も認められないわよ」

「そんなことぐらい、わかっていますよ。でも、僕は死ぬ気でこの会社を上場させたのです。株主を失望させるわけにはいきません。上場した途端に業績を悪化させたほかの会社とは、違うのです！」

「まあ、その心意気だけは立派だけどね」

「必死な人間はなんでもしますよ」

「アンタ、まさか……」

萌実は黒田ＣＦＯをじっと見た。しかしそれ以上は言葉にせず、小寺社長に向き直った。

「社長、保険に入ることに、本当に後悔はないのね」

小寺社長は困ったように首をかしげた。

「――さっきから聞いていると、まるで保険が悪者のようですが……でも今回は危険を避けるために6社の保険会社に分散しているし、どの会社も大手ですよ」

萌実は、社長が突然、分散だの大手だのと言い出したことに眉をひそめた。おそらく、黒田ＣＦＯに説得されるときに、そのようなことをいわれたのだろう。

「ふーっ。黒田、このへんの説明は社長にちゃんとしといたほうが、今後のためよ」

黒田ＣＦＯはそっぽを向く。萌実は、小寺社長の目を見ながら話した。

「あのね、社長。保険会社を分散させているのは、単に、保険金には上限があるからよ。30億円の保険なんてかけるには、分散させるしか方法はなかったの」

「なるほど、そういうことですか。でも、大手だし、怪しげな保険だったら、扱わないんじゃないでしょうかね」

社長がすがるように発する「大手」という言葉にも、萌実は首を横に振った。

「大手生保だって、商売だもの。節税目的・利益演出目的だとわかっていても、望まれたら保険を売るのよ。ほら、大手電機メーカーも『マイナスイオン』をウリにしたドライヤーとかを売っているのと同じよ。あれは消費者が望むから、そういう商品を作っているのよ。マイナスイオンの効果自体が疑わしいのにさー」

「そ、そうなんですか。そのたとえはよくわからないけれど、おっしゃりたいことはわかりました」

「それじゃ、社長。もう一度聞くわよ。保険には入るの、入らないの？」

小寺社長はしばらく八の字眉で考えたあと、おもむろに口を開いた。

「藤原先生、私は――」

＊

正解はどっち？

「小寺フードストア」からの帰り道。

「萌さん。結局、小寺社長の結論は明日になってしまいましたね」

「そうね。どうするかは正直わからないわね」

「どうしてですか!? たしかに黒田ＣＦＯのほうが上場させたという過去の実績は大きいかもしれませんが、意見は萌さんのほうが正しいじゃないですか」

「――それはアンタの身びいきというものよ。経営なんて、あとになってみないとなにが正解かなんてわからないんだから。性急《せいきゅう》に結論を出さなかった社長の判断は賢明だったと思うわ。今後の経営を左右する大事な問題なんだから、１日しかないけどじっくり考えるべきよ」

「……でも、本当に保険を使うとしたら、会計の縛りのせいで、『小寺フードストア』の経営はこれからたいへんですね」

「そうね、今回の場合、保険を使うってことは、そういう作られた道に進むって宣言するようなものだからね。一度その道に足を踏み入れたら、二度と降りることはできない。降りてしまえば、株主や市場の信頼を一気に失うからね。でも、うまく切り抜けられたら、株主にとってこんなにすばらしいことはないのよ」

「…………」

「カッキー、私たちは会計士だから……あ、黒田のヤツもそうか。えーっと、私たちは監査法人の会計士だから、どうしても未来に不安を残すような会計処理は認めたがらないけれど、企業にとって、チャレンジすることが必要なときはたしかにあるのよ。小寺社長が経営者としてその道を選ぶのだとすれば、あと私たちにできることは、不正な処理がないように見守るだけよ」

「……まあ、結局、降りられない道の運転をするのはＣＦＯなんですから、苦労するのは黒田ＣＦＯだということですよね」

「さあ、それはどうかしら。〝天才〟って自分で名乗っているヤツだしね」

「えっ、どういうことですか⁉」

「このまま上場後の業績が順調に伸びれば、いずれいいタイミングで辞めるでしょうね。上場させ、業績も伸ばしたという実績を手土産にね。そのあとの利益演出については、また別の人が苦労することになると思うわ。アイツは〝天才〟と〝ズルがしこい〟の意味を履《は》き違えているのよ」

「えーっ！　それじゃ、苦労を未来に押しつけようとしているんですか⁉」

「でも、苦労を未来に押しつけるのは経営の常《つね》よ。粉飾事件にしても、たいてい最初は『一時的に損失を隠しておいて、あとで業績がよくなればもとに戻そう』と思っていたのよ。それが業績も回復しないまま、損失が膨れあがってしまってどうしようもなくなってしまった」

「そんな経営の常、いいわけありません――それにしても、もし保険に入ることを選択したら、被害者は会社、つまり小寺社長自身だということですか？」

「小寺社長は自分で判断するんだから、その責任は自身で負うでしょうよ。アイツに騙されてたとしたら被害者だけど、今回の場合、私たちがちゃんとデメリットも説明したからね」

「そうですね……」

「上場したばかりの企業に行くと、『良くも悪くも、会社が変わってしまった』って社員の人がよくいうでしょう。これには、会計にもその責任の一端があると思うわ。計画どおりの実行、制約されたビジネス、利益を演出するための不毛な労力。ベンチャー企業らしい良い面が、ここで失われることもあるのよ」

「ふうーっ。経営ってたいへんだなあ。それに、社長業もたいへんですね。責任重大だ」

「なにをいまさらいっているのよ。まあ、どういうことになっても私たちにできるかぎりのことはしましょう」

「萌さんにしては、怒っていないというか、優しいですね」

「そう？　うーん、そうねえ。強いていうなら、あの小寺社長の八の字眉毛をムムッと深くさせて困らせるのって、ちょっと快感なのよねー」

「……オ、オニがいますよ。ここに」

＊

なお、これはいまから少し前のお話である。「逓増定期保険」は、２００７年12月26日に国税庁が『「逓増定期保険」の新たな税務取扱（案）』を発表したこともあり、もはや新たには節税や利益演出目的で実質使用できなくなった。

ただ、利益演出に使用できる「節税保険」や「節税リース」などは、まだ存在している。

《ケーススタディ①のまとめ》

「利益演出」

● 「利益演出」＝合法的に利益を増減させること

→事実だけれど意図的に動かされた数字

「利益演出」がはびこる理由

理由① 「計画作成能力」を問われるから

→「計画どおり」である必要がある

理由② 「成長性」が求められるから

→常に一定の成長率で伸びる必要がある

⇒演出してでも実現させないと株主に迷惑がかかる

同じ1億円でも大違い

● 売上の1億円 — 簡単

● 利益の1億円 — 大変

→1億円の利益を出すには、それ以上の売上が必要だから

〈代表例〉「100円の粗利を出そうと思ったら、400円は売り上げないとムリ」

「費用」と「資産」の違い

● 「費用」＝使ってなくなるもの

→利益を減らし、節税にもなる 〈代表例〉 備品、広告費

● 「資産」＝長年使われる財産

→利益の増減には直接関係ない。減価償却を行う（134ページ参照）

〈代表例〉 不動産、在庫

※ただし、長年使うものでも、10万円未満なら税務上は「費用」

利益演出に使われる「節税保険」とは？

● 「節税保険」

→利益があるときに入り、損失が出たときに解約

→解約返戻金で赤字を穴埋め→税効果により納税額を減らす

● 「節税保険」の性質 — 定期預金に近い

→計画的に解約しなければ大損

→長期的な問題になるので、会計の縛りが発生

会計の縛り

● 会計上の長期的な問題（保険を使った長期にわたる利益演出など）

利益が増えすぎたらおさえる、少なすぎたらつけ足す

→作られた道を一度進みはじめると、二度と降りられない

→ムダな労力やお金がかかる→会社が疲弊

※しかし、うまく切り抜けられれば誰もが喜ぶことに

粉飾事件の真相

● 一時的に損失を隠して、あとで業績がよくなればもとに戻す予定

→業績が回復しないまま、損失が膨れあがる

私たちは計画のなかで生きている

ケーススタディ①では、「小寺フードストア」という会社でくり広げられた会計の縛り、言い換えれば計画の縛りについて読んでいただきました。そして、これからお話しするのも、その〝計画〟についてです。

私たちは計画を立てるのが大好きです。

今度の休みはどうしよう、何年後には家を建てようといった個人的な計画から、来年の売上目標はいくらにしようといった会計的な事業計画まで、さまざまな計画のなかで私たちは生きています。

それは、将来への不安を払拭《ふっしょく》し、目標を定めるのに役立つでしょう。

しかし、人生でも経営でも、計画どおりにいかないことはよくあることです。むしろ、そのほうが多いかもしれません。

そのときに、いったいどうするのか？

計画をなかったことにして、新たなスタートを切るのか。計画に合わせて整えた環境や過去に行った投資を捨てられずに、なんとかつじつまを合わせるのか。

この章では、「禁じられた数字」を生む土壌のひとつである、計画について考えていきましょう。

計画信仰

さきほどのケーススタディは、計画があるから、その計画どおりにするために「作られた数字」を生み出した会社の話でした。

計画の数字が、「予定は未定だから、ズレたら変えればいいや〜」という程度の気楽なものだったら、特に問題はないでしょう。

個人のダイエット計画なら、「夏までに5キロ痩《や》せるっていったけど、やっぱり秋までに……」といったことはよくあることです。

ところが、ビジネスの世界では、そういった安易な計画変更は認められません。

特に近年、緻密《ちみつ》な計画を立て、そのとおりにビジネスを展開させることの重要性が増しています。

それは、「計画信仰」といってもいいくらいのものです。

たとえば、金融機関が企業にお金を貸すときの、いわゆる「融資《ゆうし》審査」。バブル経済の頃までは、土地や株式さえ担保に出せば借入《かりいれ》ができる担保至上主義でしたが、バブル崩壊後は、担保の代わりに「将来的に返済できるかどうか」を審査されるようになりました。

具体的には、「事業計画」がちゃんと立てられていて、その計画どおりにビジネスが展開されているかどうかが重視されるようになったのです。

また、株式上場時の審査でも、事業計画とその実行性は重視されます。

さらには上場後も、企業や経営者への評価において、計画そのものが重要なモノサシとなるのです。

ケーススタディの「小寺フードストア」の場合は、上場直後なので、よりこうした評価に敏感になっていました。

説得力のある計画がなによりも問われる時代——**これは、中小企業・大企業、上場企業・非上場企業に関係なく、すべての企業についていえることなのです。**

ビジネスの自由を奪う2つのもの

私が知っているある不動産会社は、２００７年に東京の地価がどんどん値上がりした際、手持ちの不動産を積極的に売りたかったのに、半年ほど売ることができませんでした。

それは、なぜでしょうか？

実は、その不動産会社は近い将来の上場を考えている会社だったのですが、上半期の時点でその年の利益目標を達成してしまっていたのです。

つまり、儲けすぎると翌年以降の目標達成がつらくなるので、売りたい不動産をあえて売らなかったのです。

これは、「小寺フードストア」が利益を抑制しようとしたのにとてもよく似ています。

これらは、計画信仰の弊害の典型的な例です。

ところで、これらのケースでは、「前年比」が基準になっていることにお気づきになりましたか？

評価というのは、「前年比〇〇％」など、前年が基準になる場合がよくあります。前と比べるというのは、モノサシとしてとても単純でわかりやすいので当然です。

そして、ほとんどの場合、「前よりも良くなる」ことを期待されます。たとえば売上なら、売上１００億円の会社には、翌年は１２０億円ぐらいを期待したくなるものです。

しかしこれは、経営者の側から見てみれば、「売上１００億円を達成すると、翌年は１２０億円を期待されてしまうから、今年は80億円くらいにとどめておいて、来年１００億円を目指そう」ということにもなります。

計画信仰がまかりとおっている現在では、こうした抑制意欲はより働きやすくなるでしょう。**ある年に突出した売上が出るよりも、少しずつでも前年より上がっていくほうが、計画信仰では価値があることだからです。**

それは、まさに「作られた数字」です。

そして、「小寺フードストア」の例にもあるように、上場を考えている会社やすでに上場した会社では、計画の妥当性だけでなく、会社の規模を年々大きくしなければならないという「成長性」も問われます。

しかし、成長できるかどうかというのは、その年の好不況・社会情勢・経営環境によって大きく左右するものです。特に、土地の売買をしている会社などは、その年の土地相場が大きく売上にも影響するので、つぎの年に前年よりも売上が上がるという保証はまったくありません。

テストが80点の子に、「つぎはがんばって90点をとりなさい」というのとはわけが違います。にもかかわらず、43ページでお話ししたような、根拠のない予測数値を事業計画書に載せて、平然と成長性を主張するような会社も出てきます。

つまり、計画信仰や成長への圧力が「作られた数字」「根拠のない数字」を生み出してしまっているのです。

ビジネスは自由なので、戦略的に売らない、戦略的にムリして売るというのもたしかにアリでしょう。しかし、これでは、計画や成長がビジネスの自由さを奪ってしまっています。
はたしてそれは、いいことなのでしょうか？

さて、ここまで計画と成長の話をしましたが、成長の考え方は計画のなかに常に含まれていますので、これから先は計画についてより詳しく考察していきます。

変化の激しい時代

製造業などの第二次産業が中心だった時代は、供給よりも需要が大きく、いまと比べ、作れば売れる時代でした。

そのため、いかに原材料を集め、どうやって組み立て、どのルートで販売するのかという計画は非常に大切であり、かつ比較的ブレの小さいものでした。

ブレが小さければ、売上の予想も立てやすくなります。

また、事業環境が変化するとしても、それは5年、10年単位の話であり、すぐにどうすればいいという問題ではありませんでした。

しかし、いまはサービス産業が中心の時代です。さらに、グローバル化も進み、環境の変化は昔とは比べものにならないくらい速くなりました。

そういった変化の激しい時代に、はたして計画の必要性はどれくらいあるのでしょうか？

社会主義国家ですら、「計画経済」はとうの昔に放棄しています。

たしかに、お金を出す株主や銀行にとっては、なにかしらの基準が必要です。

そういう意味では、「今後こうなりますよ」という未来予想図、すなわち事業計画から導き出される業績の予想は、なくてはならないものかもしれません。

しかし、以前よりも計画がむずかしくなった環境で、以前よりも計画が重視されているという現状は、どう考えてもムリがあります。

そのムリが、「小寺フードストア」や前述の不動産会社から、ビジネス本来のダイナミズムを奪っているのです。

予想はウソよ

このように、いまの時代は規制緩和・ニーズの多様化・産業のグローバル化など、さまざまな要因のなかで、どんな業種であっても安定した環境は期待しにくくなっています。

ですから、企業としては毎月、毎週でも、環境の変化に合わせて計画を修正していきたいぐらいです。しかし、計画信仰があるがゆえに、そう簡単には計画を修正できません。計画の修正は、計画を作った人の責任問題にも発展するからです。

また、修正をくり返していては、「計画作成能力のない会社」というレッテルを貼られ、信用を失ってしまいます。

こういった話はケーススタディでも出てきました。63～64ページの『計画作成能力が欠如した会社』と評価される」「上場直後の業績修正なんて、アイツ、黒田CFOのプライドが許さないでしょうね」というあたりです。

一方で、株式市場では、事業計画をもとに発表される「業績予想」の不正確さが問題になっています。

つまり、予想と実績が違う会社があまりにも多い！　ということです。

それは、なぜなのか？

いくつか原因がありますが、いちばんの原因は、多くの会社が（本当の予想より）低めの数値を発表しているからです。

業績に大きな影響を与える為替《かわせ》や原油の相場が読みづらいのに、一度発表した数値を下方修正すると投資家の非難の大合唱で株価も急落するので、あらかじめ低めに見積もっておこうとするのです。

また、なんだかんだいってても上方修正を行うと投資家からのウケはいいので、わざと年のはじめは低めの業績予想を発表しておいて、あとで上方修正を立てつづけに出す会社もなかにはあります。

本音がいえない（いわない）業績予想は、いったいなんのためにあるのでしょうか。

まさにこれは、意図的に「作られた数字」なのです。

ある優秀な女性投資家は、「（業績）予想はウソよ」と公言しています。

私がなぜかと聞くと、つぎのように答えました。

「だって、これまで裏切られつづけてきたもの。それに、予想（ヨソウ）は逆から読むとウソヨだしね――」

計画の縛りは会計の縛り

企業の綿密《めんみつ》な事業計画も、それをもとにした業績予想も、社会からは必要とされているものです。

社内・社外を問わず、会社の未来はぜひ知りたい情報だからです。

とはいえ、いまの時代にそれらを計画信仰といえるくらい重要視することについては、私ははなはだ疑問に思っています。

計画の縛りは、会計の縛りでもあります。

ビジネスに使われる計画が強い力を発揮するのは、はっきりいってしまえば、そこに会計が使われているからです。

たとえば、事業計画には必ず「利益計画」も含まれていますが、これが「前年より利益をちょっと増やす」といった程度のアバウトなものだったら、計画信仰にまでは発展しないでしょう。

しかし現実には、「3年後の利益60億円」「5年後の利益6.4倍」など、利益計画には具体的な数字が使われているのです。

そこには、上巻で説明した「数字の暴力性」が生まれています。

再びダイエットの例でいうと、「夏までにちょっと痩せる」と「夏までに5キロ痩せる」では、どちらのプレッシャーがより強いかは一目瞭然《いちもくりょうぜん》です。

数字は言葉と違ってごまかしがきかないので、5キロ痩せるといえば、5キロ痩せないかぎり、計画は達成されないのです。

計画への不満

さてここからは、企業単位ではなく、ビジネス単位、個人単位の計画について少し考えてみましょう。

あなたはつぎのような場面を仕事上で見たことはありませんか？

「1年間の予算計画を作るために1年以上かかる」（ムダな時間の発生）
「事業計画の前提となる市場予測がわずか2カ月ではずれた」（計画の早期破綻）
「失敗はイヤなので、リスクを果敢《かかん》にとるような計画は作れない」（計画が挑戦を阻害）
「予算計画では声が大きい部署に多くのお金が配分される」（大局的な視点の欠如）
「どの部署も削減されたときに備えて、予算を多めに申請しようとする」（不正確な計画）
「来年の予算を確保するために、予算を使い切る行動に走ってしまう」（ムダ遣いの発生）

いずれも、計画にまつわるビジネス上の弊害です。

最後の例は、特に官公庁などで耳にする話かもしれません（年度末の道路工事ラッシュなど）。

知り合いの地方公務員によると、福祉の部署にいたときは「福祉の予算を減らすのは市民のために良くない」という使命感のもと、予算を使い切るためにいろいろとがんばっていたそうです。そして、経理関係の部署に移ったあと、「税金を使って、なんてムダなことをしていたんだろう！」と後悔したといいます。

これも、やはり計画の弊害といえるでしょう。

また、知人の会社では最近、流行《はや》りの成果主義がとりいれられ、社員は年度のはじめに必ず数値入りの個人目標を立てさせられるようになりました。もちろん、年度末には、どれくらい目標が達成されたのかが見られます。

上方にブレる分には問題ないのですが、下にブレたときは問題になるので、そもそも目標数値を低めに設定する人が多いそうです。

それは人間として当然の心理でしょう。なんだか、業績予想を低めにする上場企業の話に似ています。

もっと問題なのは、仕事の内容うんぬんより、ノルマをクリアできるかどうかが最優先課題となってしまい、みんなすぐに結果（数字）に結びつく短期的で簡単な仕事しかしないようになってしまったことだといいます。

これも、当然といえば当然の結果ですが、まさに計画の弊害でしょう。

計画があるかぎり、目先の問題に目を奪われるのは仕方がないことなのです。

10カ月で会計士になった勉強法

ここまでの話をまとめると、

●結局、企業にしろ個人にしろ、計画は弊害のほうが大きく、あまり意味のないことなのではないだろうか

●計画は、「作られた数字」や「根拠のない数字」を生み出す土壌になっている、すなわち「禁じられた数字」を生み出しているのではないだろうか

というのが私の考えです。

その大きな理由は、すでに少し述べたように、「計画は環境の変化に対応できないから」です。

私ごとで恐縮なのですが、「計画は環境の変化に対応できない」ことについての経験をお話ししましょう。

私は2〜5年の勉強が必要とされる公認会計士二次試験に、10カ月の勉強で受かりました（当時、新卒で入った会社をたったの2カ月で辞め、無職の崖っぷちにいたからなのですが）。

勉強をはじめる際に私が気をつけたことは、「計画は立てない」ということです。

予備校の人に聞いたところ、通常は最初に2カ年計画、3カ年計画などを立て、「1年目の冬まではとにかく基礎を」というように計画的に勉強をするそうです。

しかし、私はそうはしませんでした。

「2、3年もすればまわりの環境が変わってしまうに違いない」と考え、絶対に1回目で合格しようと決心し（会計士試験は1年に1回）、がむしゃらに、それこそ1日18時間くらい勉強したのです。

基礎も応用も関係なく、試験範囲をなにも考えずに隅から隅まで覚えました。とても計画的な勉強法とはいえません。

ビジネスの世界は環境の変化が激しいというお話をしましたが、程度の差こそあれ、それは個人でも同じことです。

私の場合、試験勉強は実家に帰ってしていたのですが、まず家庭環境について考える必要がありました。親がいきなり病気になる可能性もあれば、諸事情で援助が受けられなくなる可能性もあります。

また、試験制度が変わってしまう可能性もあれば（実際に数年後、大幅に変更されました）、そもそも自分のモチベーションが維持できなくなってしまうこともあるでしょう。もちろん、私自身が身体を壊す可能性もあります。

そういった未来の環境の変化を考えたとき、実現可能性の低い〝○カ年計画〟を立ててコツコツやるより、環境の変化がないうちに一気に目標を達成してしまったほうがいいだろうと思ったのです。

人生に対して計画を立てるのも同じことです。

計画は環境の変化に対応しづらいので、実際に計画どおりにいくことはまれです。

それなのにわざわざ計画を立てるというのは、「そうなったらいいなあ」という願望をカタチにしているにすぎないのではないでしょうか。

計画を立てるのが好きな人はまわりにも多くいます。しかし、「計画を立てているときがいちばん楽しくて、実行するときには醒《さ》めている」という人もけっこういます。

旅行の計画などにはありがちだと思いますが、そういうパターンの人は、単に未来を夢想するのが好きだということなのでしょう。

そのように計画が趣味というのならいいのですが、単に願望を紙に書いているだけの計画なら、そもそもそんな計画は立てなくてもいいのです。

「計画」より「カード」の時代

私は、20年後も、いまのような計画信仰がつづいているとは思いません。

ちょっと前の話なのですが、クレジットカード「ライフカード」のテレビCMのなかで、サラリーマン役のオダギリジョーさんが派閥争いで決断を迫られ、「どーすんの!?　オレ」と心のなかで叫びながら、「保身」「信念」「保留」といった数枚のカードから1枚を選ぼうとする――というシーンがありました。

この姿はとても印象的だったのですが、これは「右肩上がりの成長が期待できない現代サラリーマンならではの姿」を表したものだと私は思いました。

つまり、進むべき道がいつもひとつだけなのではなく、常に選択肢がいくつかあって、そのなかで自分の環境に応じたものを選択するという姿が、いまの時代を象徴している、と思ったのです。

社会の激しい変化を考えると、これからは、「計画」よりも「カード（切り札）」の時代になっていくのではないでしょうか。

環境がこっちに変化したらこのカード、あっちに変化したらあのカードというように、**環境の変化に応じたカードをいくつ持っているのか、ということが真っ先に問われる時代が来るということです**。

たとえば、自動車メーカーであれば、自動車の需要が減少したらどういうカードを切り、石油が極端に高騰《こうとう》したらどういうカードを切るのか。総合出版社であれば、マンガやファッション誌が売れなくなったらどういうカードを切り、ネットがより良質な情報を提供するようになったらどういうカードを切るのか。計画ではなく手持ちのカードの枚数によって、銀行や投資家も企業を判断するようになればいいと私は考えています。

グラビアアイドルに学ぶ「カードの切り方」

芸能界には、カードを使うことに長《た》けた人が実に多くいます。

たとえば、グラビアアイドルがそうです。

彼女たちは、ビジネス界以上に変化の激しい芸能界において、自分が生き残るためにうまくカードを増やし、切っています。

グラビアの世界は超過当競争です。ちょっと人気が出たからといってボーッとしていては、すぐにつぎの若い世代にとってかわられます。似たり寄ったりの人材はいくらでもいるのです。

そこで、まだ水着で雑誌のグラビアを飾っているうちから、話術を磨いたり、演技の勉強をしたりして手持ちのカードを増やし、いざテレビ出演などのチャンスが訪れたときに、そのカードを切ってみせるのです。

バラエティ番組にパッと出てきたグラビアアイドルが、いつの間にか司会業をきっちりこなしていたり、女優に転身してブレイクしたりするのはよくあることです。

もちろん偶然の要素もあるでしょうが、彼女らは「司会ができる」「演技がうまい」「ツッコミが芸人並み」「ブログを日々更新」「ゴルフを極めようとする」など、「グラビア」以外のカードをうまく切ったからこそ成功しているのだと思います。

こうやってカードをそろえて、状況に合わせてカードを切っていく考え方は、個人にしろ企業にしろ、有効なやり方ではないでしょうか。

脱予算経営

とはいえ、個人ならまだしも、日々、競争のなかにいる企業にとっては、いきなり「カードをそろえろ」といわれても、「そんなの急には無理だ」といったことのほうが多いでしょう。

その場合、「環境の変化に対応できるように計画の姿を見直す」というのもひとつの手です。実際、従来型の計画の弊害や限界に気づき、新たなやり方を模索している企業も数多くあります。

たとえば、計画の典型である予算計画でいえば、３カ月に１回予算を見直す「ローリング予算」や、前年の予算に引きずられない「ゼロベース予算」の実施がそうです。ローリングにしろ、ゼロベースにしろ、予算作成の手間ひまは従来以上にかかるのですが、計画を変化に対応できるものにする、ひとつの有効な手段だといえるでしょう。

私の事務所で働くアルバイトのなかに、管理会計をゼミで学んでいる大学生がいるのですが、先日、彼女に「いまなにを勉強しているの？」と聞いたところ、意外な答えが返ってきてたいへん驚きました。

「そうですねぇ……経営戦略とかですね」

「えっ、管理会計のゼミなんだから原価計算とかじゃないの？」

「いいえ、あんまり昔ながらの会計的なものはやってないですよ。最近では、脱予算経営っていうのも勉強しました」

私にとっては衝撃でした。

私の知らない間に、会計に反旗《はんき》をひるがえしたともいえる「脱予算経営」を、管理会計のゼミ生が学んでいたなんて……。

脱予算経営とは、思い切って予算計画を廃止した経営のことです。

まだ海外での事例なのですが、スウェーデンの銀行やフランスの化学メーカーなどが実施しています。

予算計画を廃止した代わりに、KPI（Key Performance Indications＝重要業績達成指標）などの新たな基準を作っているのです※。

このように、ビジネスの世界では、計画信仰からの脱却が徐々に進んでいるのです。

※KPIとは、目標に向けてのプロセスの進捗《しんちょく》状況を調べるために、達成度合い（パフォーマンス）を定量的に示したもの。よく最終目標として使われる「売上高」「利益率」「成約件数」などではなく、「在庫水準」「品切れ率」「製品化までの時間」「解約件数」

「顧客訪問回数」「従業員離職率」といった中間的な目標がKPIになります。これを日次・週次など一定期間ごとに実績数値を出して、プロセスの進捗状況を管理するのです。脱予算経営のくわしい内容については、『脱予算経営』（ジェレミー・ホープ、ロビン・フレーザー著／清水孝監訳）をご覧ください。伝統的な予算管理制度を廃止し、絶対的な目標ではなく、「同業他社比較」といった相対的なKPIを設定し、変化に応じてKPIも変えていくといった環境適応型の組織の話が掲載されています。

10年後の自分は知らない

取材でたまに、「10年後はなにをしていますか?」と聞かれるのですが、私の答えはいつも「10年後は10年後に合った人生を送っています」です。

インタビュアー泣かせの答えですが、私の人生のポリシーは「いかに変化に対応するか」なので仕方がありません。

会計士の仕事にしろ、執筆する本の内容にしろ、その時代に合ったものをやるのが人間としていちばん自然なのだと思っています。

いったん「10年後の自分はこうだ!」という計画を立てて未来を固定してしまうと、

計画があるがゆえに、遅れをとりもどそうとしたり、なんとか計画どおりにしようとしたりして、ムリやムラやムダが生まれてしまいます。

計画信仰は言葉を換えれば〝計画幻想〟です。計画は個人や企業から自由を奪い、ムリ・ムラ・ムダを生みます。

べつにムリ・ムラ・ムダを全否定しているわけではなく、ムリ・ムラ・ムダをなくそうとして、逆にそれらが発生してしまうことにやるせなさを感じるのです。できればムリ・ムラ・ムダとは無縁な自然体でいたい。そしてそのためには、変化に対応できるカードをできるだけたくさん持っておく必要があると思うのです。

計画は信仰するものではなく、対応させるもの

以上、この章では、〝計画〟について見てきました。

「現在のビジネス界では計画信仰がまかりとおっている」「そのことにより計画の縛りが発生してビジネスに害をもたらしている」「脱予算経営をする企業も出てきている」「将来的には計画ではなくカードが重要になるのではないか」など、いろいろお

話ししてきましたが、結局のところ私がいいたいのは、「計画を立てないのも選択肢のひとつとしてありえる」ということです。

計画が絶対にいけないというのではありません。きちんと計画を立てなければいけないことだって、もちろんあります。

これまで無秩序にやっていたことを見直して計画を立てるようにしたら、ものごとがうまくいくようになることだって当然ありますし、私もおすすめします。

しかし、計画によって害が生じていると感じたなら、計画を立てるのをやめるというのもアリなのだと思い出してください。

計画の数字は、ミスリードを起こしやすいという意味で「禁じられた数字」なのです。

「人類の歴史上、唯一不変なものは、時代は必ず変化することである」といわれるほど、どんな時代でも変化は必ず起きます。

ですから、計画は変化に対応させなければ意味はありません。

計画は大事に守って信仰するものでは決してないのです。

さて、つづく第3章では、計画と並ぶ「禁じられた数字」を生み出す原因となっている、「効率化」について見ていきたいと思います。

まずは、またケーススタディをご覧ください。

《第２章のまとめ》

ビジネスから自由を奪う「計画信仰」と「成長への圧力」

- 計画信仰 ― 計画どおりにビジネスを進める重要性が増している
  →計画に合わせて利益などを抑制（または水増し）
- 成長への圧力 ― 企業は毎年成長することが期待される
  →成長性を演出するために、利益目標などを低めに設定
  ⇒「作られた数字」「根拠のない数字」、つまり「禁じられた数字」が発生

予想はウソよ

- 事業計画をもとに発表される業績予想 ― 「作られた数字」である可能性
- 計画の縛り→力が強いのは、そこに会計が使われているから

計画への不満

- ビジネスでも個人でも、計画の弊害は大きい
  - ・計画の前提である市場予測が2カ月ではずれた
  - ・来年の予算を確保するために、予算を使い切る
  - ・結果（数字）に結びつく短期的で簡単な仕事しかしない
  →計画は環境の変化に対応できない

「カード（切り札）」を何枚、持っているか？

- いまは環境の変化が激しい時代

→計画は立てない
→変化に対応ができない「計画」から、変化に応じて選択肢のなかから選ぶ「カード」の時代へ

変化が激しい時代にあるべき計画（予算）の姿

- ３カ月に１回、予算を見直す「ローリング予算」
- 前年の予算に引きずられない「ゼロベース予算」
- 思い切って予算計画を廃止した「脱予算経営」

計画信仰は「計画幻想」

- ムリ・ムラ・ムダを排除するための「計画」が、逆にそれらを生み出している
  →時代は必ず変化するので、計画を立てないのもひとつの手

第3章

「食い逃げされてもバイトは雇うな」なんて大間違い

効率化の失敗

ケーススタディ② 合理的に儲けようとする大学生

ビックリするほど優秀な後輩

「萌さん、ちょっと相談があるんですけど」

「いやだ、断る」

新人の会計士補、柿本に声をかけられて萌実は即答した。

「まだなにもいっていないじゃないですかー」

「どうせ、ロクでもないことなんでしょ。私が与えた仕事が終わらなかったとか、自信がないから見てほしいとか」

「い、いや、いつもならそうかもしれませんが、今日はちょっと違うんです。実は、萌さんに会いたいという学生がいまして。僕のゼミの後輩にあたるんですけど」

「ゼミって、アンタ商学部だっけ。なにをやっていたのよ」

「マーケティングです」

「へー。なんか似合わないわね」

「余計なお世話です。それでですね、その後輩が、公認会計士に会ってみたいということで、教授から頼まれて僕自身が会ったのですが、これがビックリするほど優秀な子でして」

「ふーん」

「女子大生なのに会計士をやっている上司がいる、という話をしたら、ぜひ会いたい、ということになりまして」

「えー、めんどくさーい。なんだって私が大学生に会わなくちゃいけないのよ」

「萌さんだって大学生じゃないですか！」

「そうだけど……って、そうか、これはちょっとした出会いかもしれないわね。うまくいったら合コンができるかも！」

「う〜ん、こんな人を学生に会わせて大丈夫なのかな……」

＊

どれだけ稼げるかが人の価値

「さっそくですが、藤原先生。僕は〝金儲け〟がしたいんです」

待ち合わせた喫茶店に現れた学生は、あいさつもそこそこにそう切り出した。眼鏡の奥から放たれる神経質そうな光に、萌実は顔をしかめた。

「……ちょっとカッキー。このトンチンカンな青少年野郎のどこが優秀なのよ」

ボソボソと柿本に耳打ちをする。

「青少年野郎って、どういう呼び方ですか。まあ、まずはその〝お金儲け〟の理由を聞いてあげてくださいよ」

柿本が同じくボソボソと返す。そんなふたりを無視して、学生は眼鏡を指でカチャリとあげ、話をつづけた。

「僕は、人の価値というのは出自《しゅつじ》や家柄、学歴ではないと思うんです。金という尺度こそが唯一平等であり、どれだけ稼げるかが人の価値だと思うのです」

「へー」

萌実はテーブルに頬杖をつくと、適当な相槌《あいづち》を打った。

「『金を稼いでいる』ということは、それだけ『価値を認めて金を払ってくれた人がいる』

ということですよね。つまり、稼げば稼ぐほど社会に対して価値を生み出していることになる――稼ぐということは社会貢献だと思うのです」

「……稼いだお金はどうするの？」

「稼ぎすぎて使い道がなかったら、困っている人に寄付をすればいい。だから、僕は大学を卒業したら、どんどん稼いでいこうと思います」

「ほら、萌さん。ずいぶんと立派なことをいうじゃないですか。いやー、僕のほうが10歳近く年上ですが、感動で目からウロコが……」

「はいはい、わかったからカッキーは黙っていなさい。まあ、キミがどんなスタンスなのかはだいたいわかったわ。ちなみに、どうしてお金儲けについて会計士に聞こうと思ったの？」

「僕は先日、会計士の人が書いた本を読んだのですが、会計的思考の真髄《しんずい》は『金額重視主義』だそうじゃないですか。感情に走らず金額を冷静に判断する、『感情より勘定』の精神が会計的思考だとか。だとすれば、会計士というのはまさに金に対して合理的な考えを持った人たちだということになります。ですから、会計士こそ金儲けの奥義《おうぎ》を知っているに違いないと思ったのです」

「『感情より勘定』ねえ。そういう概念的な話を中途半端にいう輩《やから》がいるから困るのよね」

萌実は小声でブツブツいった。

「藤原先生、なにか？」

「いーえ、こっちの話よ。それで、私になにを聞きたいの？」

不労所得を会計的に見ると

「僕は、金儲けのために、株式投資や投資信託、FX（外国為替証拠金取引）、不動産投資をはじめたのですが、これは金を増やす手段として会計的に正しいのでしょうか？」

「会計的にねえ。株だろうが不動産だろうが不労所得よね」

「はい。働かないで稼げる不労所得は、経済的自由人になるための必須手段、幸せな金持ちになれる第一歩だと聞いています」

「不労所得っていうのは、会計的に見ると『非減価償却資産』なの」

「非減価償却資産？」

「えーっと、まず減価償却の説明をすると、世の中の多くのモノは、時間の経過とともに価値が減っていくの。たとえば、食べ物は腐り、衣服はボロボロになり、機械は故障がちになる。これを会計では『減価』って呼んでいるの」

「はい」

「この減価を会計的にもちゃんと反映させる仕組みが『減価償却』。たとえば、パソコンなら4年、車なら8年、鉄筋建物なら50年にわたって減価させていくの」

〈30万円したパソコンの場合〉（定額法・残存価格ナシ）

	購入時	1年後	2年後	3年後	4年後
資産価格	30万円	22万5千円	15万円	7万5千円	0円
減価償却費		（7万5千円）	（7万5千円）	（7万5千円）	（7万5千円）

「うーん……理屈はわかりますが、わざわざ減価償却をするのも面倒ではないですか。必要はあるんですか？」

「必要よ。だって、会計は世の中を映す鏡なんだから。世の中のモノが腐っていく（減価していく）以上、会計もそれに合わせないわけにはいかないわ。つまり、減価償却をしないほうが不自然なの」

美術品が購入される背景

「ということは、会計が現実を模写しているわけですか」

「適切な表現をするじゃない、そうよ。でもね、世の中には減価しないモノもあるの」

萌実の横で熱心にうなずいていた柿本が、えっという顔をした。

「萌さん、そんなモノがこの世にあるんですか？」

「しっかりしてよ、カッキー。アンタ、現金や美術品、土地や株なんかの処理をするとき、これまでどうしていたのよ」

「あっ、そうか。たしかに、そういったものは企業会計でも減価償却しない資産ですね。美術品や土地はだいたい購入時の値段のままですし、株はそのときの市場価格のときもあります」

「そう。美術品・土地・株は、買ってから価値が上がる場合がよくあるからね。お金持ちがこういう非減価償却資産を好んで買うのは、べつに美術品や土地や株が好きなわけじゃなくて、持っていても価値が下がらないモノだからよ」

ふたりの会話をメモをとりながら聞いていた学生は、またカチャリと音をたてて眼鏡を押しあげると誰に聞かせるでもなくつぶやいた。

「そうか……バブル期の日本やいまの中国で大量に美術品が購入されている背景には、そういう事情があったのか。単なる成金趣味かと思っていた」

「あの～、萌さん。不労所得の話はどこにいったのでしょうか……」

柿本が聞いた。

「いや、柿本さん。僕にはもうわかりました。不労所得というのは結局、非減価償却資産を手に入れること。そうでしょう、藤原先生？」

「そう。減価しない資産というのはそれだけで希少価値があり、希少価値だからこそ人は手に入れたがるのよ」

「汗水たらして得たお金は貴い」理由

「ちなみに、非減価償却資産を持つうえで、気をつけなければならないことはありますか？」

「そうね、避けられない現実として、資産というのはだいたい価値が不安定なの。株も土地も、ちょっとしたことですぐに人気がなくなるし。価値なんていつでもクズ同然になる可能性があるのよ」

「現金、つまり通貨ですら為替相場を考えると、価値は不安定ですからね」

「そういう意味では、働くことで得るお金は、株や土地に比べたら変動が少なくて安定しているの。そこが、勤労所得と不労所得との大きな違いね」

勤労所得……働くことで稼いだお金。給料・バイト代など。Earned income
不労所得……働かないで稼いだお金。利子・配当・家賃など。Windfall income

「『汗水たらして得たお金は貴い』という価値観には、それなりの理由があるということですか」

「そうね、安定収入だから、という意味ではそうかもね。ということで、キミの質問――『不労所得はお金儲けの手段として会計的に正しいのかどうか』に対する答えは、『不労所得は勤労所得に比べてラクして稼げるけれど、リスクが大きい※』というあたりかしら。なんか、あたりまえの答えで悪いけど」

※リスクとは、会計や金融では、「未来が不確定である度合い」を指します。一般でいう「危険」と

いう意味ではなく、「変化」ととらえたほうがいいでしょう。

「いいえ、よくわかりました。ありがとうございます」

学生は礼をいった。

「――でも、勤労所得でも不労所得でも、どちらにしろ短期間に大金持ちにはなれませんよね」

「そうね。すぐに１億、２億といった大金を稼ぐ可能性は低いわね」

「できれば僕は、より早く、よりリスクが小さい形で大儲けをしたいのです。そう、もっと効率的に稼ぐ手段を探しているのです」

学生の言葉に、萌実は眉をひそめた。なんだか嫌な予感がする。

現代のゴールドラッシュ

「藤原先生、上場するととんでもなく儲かるらしいですね」

萌実は内心、やっぱりそうきたか、と思った。

「……まあ、上場っていうのは、いまの日本で確実に大金持ちになる手段ではあるけどさ。

上場益はウン十億円以上というのがふつうだし」

「僕も最低それくらいは稼ごうと思っています。そのために、会社を作ってすばやく上場させ、上場したらすぐに全株式を売り払ってしまおうと思っているのです」

「はあ？　作った会社はどうするのよ」

「上場後、すぐに辞めてしまう創業者も多いらしいじゃないですか」

「たしかに、なんだかんだと理由をつけて辞める社長はいるわね。単なる燃え尽き症候群かもしれないけど」

「やっぱり大金が手に入ると人生が変わるんですよ。僕も早くそんな体験がしたいなあ」

眼鏡の奥の目が、うっとりと遠くを見つめた。

「あー、そう」

「やはり、僕は起業して上場することで金を稼ごうと思います。できれば、すぐに上場できる会社を作りたいんです。上場しやすい業界や業種を教えてください」

萌実の嫌な予感は的中した。軽くため息をつく。

「――あのね、若干の誤解があるようなんだけど、上場益っていうのはべつに、創業者へのご褒美《ほうび》でも成功報酬でもないのよ。現代の株式制度におけるゴールドラッシュみたいな話で、そこに必然性があるわけじゃなく、たまたま現状ではそういう仕組みになっているっていうだけの話なの」

「どういうことですか？」

「つまり、創業者が上場して大金を得るいまの制度は、本来のあるべき姿からはかけ離れた異形《いぎょう》のものだってことよ。その異形のものを目指すのは、人生の目標としてどうかしら」

「では、本来あるべき姿とは？」

「上場というのは、そもそも資金調達のために会社をモノ化しているわけよ。だから、本来なら会社にお金を集めるだけで十分なはずなの」

要領を得ない顔をしている学生の様子を見て、柿本が口を開く。

「萌さん、要するに、上場時には新たに株式を発行する『公募』だけのほうが本来の目的である資金調達には合っているということですよね。『公募』の場合は、会社にお金が入ってきますが、既存の株主がすでにある株式を放出する『売出《うりだし》』だと株主が変わるだけで、会社にお金が入ってきませんもんね」

「そうよ。でも、いまの上場って『売出』をたくさんする会社も多いでしょう。つまり、上場前の株主がお金を得る手段として、株式上場が使われてしまっている。これは歪《ゆが》んだ姿だわ」

公募……会社が新たに株式を発行する　↓　会社にお金が入る
売出……既存株主が株式を売りに出す　↓　株主にお金が入る

しょせん人は金が大好き

「わかりました。つまり、本来の姿はどうであれ、現状に照らし合わせれば、『金儲けの手段として上場を目指す』のは理《り》にかなっているということですね」

「………」

萌実はため息をついた。しかし、たしかにそれが現実の一面ではある。

「キミは本当に合理的な考え方をするのね。まあ全否定はしないけど、上場益を求める人のみんなが、キミのように個人的なお金儲けが目的だとはかぎらないのよ」

「へえ、ほかにどんな理由があるっていうんですか？」

学生は挑戦的に笑った。

「そうねえ。上場前に出資した人たちの回収機会になっているとか、相続税対策のためには換金できたほうがいいとか」

「でも、結局はそういう理由をつけて、大金を手に入れたいだけでしょう？ ま、当然ですよね、金はあればあるほどいいんですから。なんだかんだ綺麗ごとをいったって、しょせん人間は金で動くんですよ」

カチンとする萌実の横で、柿本がそうだなあ、とのんきにつぶやく。

「たしかに、どこかの有名社長も『人類とは大金を手に入れると、もっと大金が欲しくなる生き物だ』っていっていましたしねー」

「カッキーのバカ！ 有名社長のいうことが正しいとはかぎらないじゃないの」

「す、すみません」

「だいたいにおいて、自分のモノサシだけで人類全体を語ってほしくないわ。あ～、虫酸《むしず》が走る～」

「違うとでもいうのですか、藤原先生」

「ええ、違うわよ。っていうか、人によるでしょう。大金を手に入れたら満足する人もいるでしょうし、大金を手に入れなくても満足する人はたくさんいるわ。みんながみんな、お金が大好きなわけじゃないのよ」

「いや、人は金が大好きです。人は金のために動きます。その証拠に、ビジネスというのは結局、金の動きだけですよね。そして、その金の動きを可視化するのが会計なのでしょう？

それなのに会計士のあなたが、金を否定するのですか？」

柿本がフムフムとうなずく。

「うーん、たしかに、会計は金額でしか表現できませんもんね」

「カッキーは黙っていて！」

「は、はいぃ」

萌実は柿本を一喝《いっかつ》すると、腕組みをしてソファにもたれた。

ビジネスは会計とは世界が異なる

「……『ビジネスは結局、金の動きだけ』、ねえ」

萌実のなかでなにかに火がついた。

「たしかに、会計はお金でしか表現できないわ。でもね、これだけは覚えておいて。ビジネスは決してお金だけで動いているわけじゃないのよ」

「それはつまり、会計とビジネスは異なる、ということですか？」

「そうよ、会計とビジネスでは世界が１８０度違うわ」

「逆ということですか」

「ええ。会計はお金でしか表現できない。これは厳然《げんぜん》たる事実。でもね、ビジネスの動きは、お金だけじゃ説明できないのよ」

「うかがいましょう。具体的にはどういうことですか」

「アンタ、マーケティングを専攻しているのに、そんなこともわからないの？」

「えっ？」

「お金以外のビジネスに欠かせない要素、それは信用、経験、人脈、将来性、社会性、勘……まだまだたくさんあるわよ」

柿本がうなずく。

「そうですね、萌さん。たしかに、人は値段が高くても信用が高いほうを選びますし、経験があるほうを雇いますし、将来性が高いほうに投資します。それらの動きがすべて金額で表現できるわけではないですよね」

黙っていろ、と怒られたのに、すぐにそれを忘れてしまうところが柿本のシアワセなところといえる。

「まあ、そういうこと。——とにかく、青少年。『人はみんなお金が大好き』っていうのも、『ビジネスはお金の動きだけ』っていうのも、狭量《きょうりょう》なモノサシではかったアンタの勝手な思い込みよ。そんなアンタが起業や上場を語るなんて、100万年早いわ」

「………」

「アンタがお金儲けをしたいってことまでは否定しないわ。そんなの個人の自由だからね。でも、ビジネスや人がお金だけで成り立っていると思ったら大間違いよ」

〝お金儲け〟の目的を達成するためには？

「ちょっと待ってください。じゃあ、ビジネスの目的は利益をあげることじゃない、とでもいうんですか。それじゃあボランティアじゃないですか。ビジネスの目的も、人が働く目的も、結局は金を得ることでしょう」

「ちょっと、話がズレてるじゃないの！　誰が目的の話をしてるのよ。そりゃあ、最終的にはお金も目的よ。それがなきゃ、企業も人も生きつづけていけないからね。でも、それを成り立たせているのはお金だけじゃないって話をしているの」

柿本がまたうなずいた。

「つまり、〝お金儲け〟の目的を達成するためには、お金以外の要素にも目を配れないとダメだということですね、萌さん。お金というモノサシしかないいまの彼には無理だ、と」

「ま、そういうことね」

萌実はストローに口をつけると、残りのアイスコーヒーを一気に飲み干した。

経営は二者択一ではない

学生はしばらく沈黙していたが、やがて口を開いた。

「……わかりました。たしかに僕が未熟だったかもしれません」

素直にいう学生に、萌実がおやと眉をあげた。

「なによ、かわいいところがあるじゃない。ついでにいっておくと、経営も同じよ。経営っていうのは、利益と利益以外の大切なことの両方を満たしてビジネスを行うことなの。だから、経営者っていうのはたいへんだし、やりがいもある仕事なのよ。どっちか一方だけでよければ、こんな楽な仕事はないわ」

「どういうことですか？」

「企業が問題を起こすと、マスコミはよく『企業は利益をとるのか、お客をとるのか』って言い方をするじゃない。つまり、二者択一ね。でも、経営っていうのはそんなもんじゃないってことよ。二者択一なら誰でもできるの。二者択一で二者ともとる、もしくは第三の道を見つけることが経営者の使命なのよ」

「萌さん、利益以外の大切なことって、なんですか？」

「そうねえ。理念とか目標とかお客さんとか、社員、社会、雰囲気、それこそ会社によっていろいろあるんじゃないの」

「ちょっと待ってください、藤原先生。いろいろじゃなくて、ズバリ、教えてくださいよ。ズバリ。藤原先生の話は、どうもまとまりがない」

「——あんたねえ、どうしてそうやってひとつに絞りたがるの？　算数じゃないんだから、答えなんてひとつじゃないのよ」

沈黙する学生。

雰囲気の悪化を察して、柿本が口を開いた。

「いや、萌さん、それはやっぱり……まとめていえば『愛』なんじゃないでしょうか！」

柿本の言葉に、萌実は唖然《あぜん》として、それから赤面した。

「バッ……バッカじゃないの！　こっちが赤面するようなこと、いいトシして大真面目にいわないでよ！」

「す、すみません」

「これまで数多くの経営者に会ってきたけど、利益以外の大切なことなんて会社によって違ったわ。だいたいにおいて、そうやってひとつに絞り込もうとすること自体、ビジネスを理解していない証拠よ。絶対、ビジネスは単純化できないの。単純化できるんなら誰でも成功するっていうのよ」

「ほんとうだ」

感心する柿本に、萌実は冷たい視線を送った。それから学生に向き直る。

「アンタ、頭はいいんだろうけど、いかにも学校のお勉強しかできませんーって感じね。もっとも、バカな奴ほど、複雑なことが理解できないから、ものごとを単純化したがるんだけど」

「も、萌さん。当初、合コンをしたがっていたわりには、辛辣《しんらつ》ですね」

「バカの友達なんてバカに決まってるから、合コンなんて願い下げよ」

萌実の言葉に、学生はまた眼鏡をあげた。その手つきがこれまでより乱暴だった。

「――お言葉ですが、僕だってかわいげのない会計士との合コンなんて願い下げです」

柿本がプッと笑って、萌実の肘鉄《ひじてつ》をくらった。

「アンタなんかにこの私のかわいげがわかるわけないじゃない。それから、これだけはいっておくけど、お金儲けを一生懸命やるのはいいけど、そんなんじゃ、しょせんお金しか手に入らないわよ」

「――そういえば、さっきもいっていましたね。金儲けしたいこと自体を否定はしないと」

「ええ、お金儲けがダメなわけじゃないわ。じゃあ、これも覚えておいて。お金儲けしかできないヤツなんて、たいしたことないわよ。だって、ひとつのことを追うだけだから、そんなの手段を選ばなければ簡単なんだもん」

有意義な情報に10万円

「これで私への質問は終わりかしら」

「――最後にひとつ。会計士になるには、どうしたらいいんですか?」

「はあ?」

「あなたの偉そうな話を拝聴していて、会計士という職業に興味がわきました。僕とそう歳が変わらないはずなのに、あなたは会計士であるというだけで僕に高説《こうせつ》をたれている。資格というのは、ずいぶん便利なものですね。いや実に便利だ」

萌実はあんぐりと口をあけた。

結局、目の前の青年はなにひとつわかっていない。萌実が彼にいろいろなことを説いていたのは、知識に裏打ちされた経験があるからだ。しかし、彼はそのことを『資格』というひとつのことに集約せねば気が済まないらしい。これ以上、なにをいってやる気にもなれなかった。

「あ〜、それはあとで柿本にでも聞いておいてちょうだい。それより、今日の質問料だけど――そうね、10万円いただこうかしら」

「えっ、萌さん。あれだけお金儲けがどうのこうのといっておいて、自分はお金をとるんですか⁉」

柿本が驚きの声をあげる。

「あたりまえじゃない。情報ってタダじゃないのよ。ビジネスにおいても人生においても、有意義な情報こそもっとも価値があるんだから。情報こそが万国共通、最強の通貨よ」

これには学生も呆《あき》れ顔だった。

「なんだかんだいって、結局、あなたも金が好きなんじゃないですか」

すると、萌実は腰に手を当てると勝ち誇ったように笑った。

「違うわ。私はねえ、ただ単にアンタにいじわるがしたいだけよ！　おーほーっほっほ‼」

「…………」

どうだ参ったか、といいたげな萌実に、学生も柿本も言葉を失った。

〃人生すべて金次第〃という学生と、〃金よりいじわるだ！〃という会計士と、どちらの人間性がより低いのか、柿本はあえて考えないことにした――。

＊

こののち、この学生・黒田《くろだ》貫英《かんえい》はスーパーマーケット「小寺フードストア」のＣＦＯとなり、萌実たちと対決することになるのだが、それはまた別のお話。

《ケーススタディ②のまとめ》

「勤労所得」と「不労所得」

- 「勤労所得」=働くことで稼いだお金
  〈代表例〉給料、バイト代
- 「不労所得」=働かないで稼いだお金
  〈代表例〉利子、配当、家賃

「減価償却」はなぜ行われるのか?

- 世の中のモノは、時間の経過とともに価値が目減り=減価
  →会計も世の中に合わせるために、モノの価値を減額させるのが自然=減価償却

「非減価償却資産」

- 世の中には減価しないモノもある=非減価償却資産
  〈代表例〉現金、美術品、土地、株
- 「不労所得」
  →非減価償却資産を手に入れること
  →ただし、非減価償却資産の価値は不安定−リスク(変化)が大きい
  →勤労所得のリスクは小さい

上場益は現代のゴールドラッシュ

- 株式上場の本来の目的
  →会社を株式という形にモノ化
  →新たに株式を発行して株式市場に売却(公募)
  →会社にお金を集める(資金調達)
- 上場前からの株主が持っている株式を株式市場に売却(売出)
  →株主にお金が入る
  →上場すると株主が大金持ちになる仕組み

ケチケチ会計士はなぜ結婚したのか？

なんでもかんでもお金に換算して考えたり、やたらと数字を使って話したがる人を、私はひそかに「会計人《かいけいじん》」と呼んでいます。

良い悪いは別として、彼らはお金についてきわめて合理的な考え方を持っています。私の実感からいって、会計士や税理士といった職業にかぎらず、会計人はけっこういます。ケーススタディ②の大学生・黒田も典型的な会計人でしょう。

そして、会計人にはある共通した傾向があります。

ここでは私の友人の例を出して、その「共通した傾向」について説明しましょう。

私の友人に、ケチで有名な会計士がいます。私もケチを自認していますが、彼は私よりもずっとケチです。そして同時に彼は、私の知っている人間のなかではいちばんの会計人です。

その彼がつい最近、交際をはじめたばかりの女性と結婚しました。

結婚式は、とある高級ホテルで開かれたそうなのですが、私は少し意外な気がしました。なにせ、彼はケチだからです。

しかし、参加した結婚式の二次会でその謎がすべて解けました。友人の女性会計士が彼にこうたずねたのです。


「あなたみたいなお金にうるさい人が、どうしてあんな一流ホテルで結婚式を？」

「ああ、それは費用対効果《ひようたいこうか》を考えたからさ」

「費用対効果？」

「彼女は一生の記念になるような結婚式を挙げることを希望していたんだ。この際、それなりの結婚式を挙げないと、彼女は一生、僕にグチるだろう。その精神的苦痛を月１万円と見積もったとしても、50年間一緒に暮らせば総額６００万円だ。一方、結婚式は両家折半《せっぱん》だし祝儀もあるから、１００万円も出せば十分だ。たった１００万円の出費で６００万円の損害を防ぐことができるなんて、とってもお得じゃないか」

「あなたらしい考え方ねえ」

「ちなみに、子供ができたわけでもないのに、短期間で結婚に踏み切ったのも同様の理由なんだ」

「えっ、どういうこと？」

「つき合ってる状態だと、やれドライブだ食事だとお金がかかるじゃないか。お互いの家も遠かったから、交通費も含めると最低でも週に2万円はかかるんだ。これが結婚した場合、交通費はかからない。さらに、恋人気分じゃなくなるから、ドライブや外食も減らせるだろ？　だから、交際中にかかっていた費用はかぎりなくゼロに近くなる。交際ではなく結婚を選ぶのは、その費用対効果を考えたら当然だよ」

「……」

このように、彼は「費用対効果」を理由に結婚を決め、盛大な結婚式を挙げました。

この友人の例は少し極端かもしれませんが、**会計人の多くが費用対効果という言葉を好んで使うという「共通した傾向」を持っています**。

それはなぜなのか？

会計人の生態を知るために、もう少し費用対効果について考えてみましょう。

困ったときの切り札「費用対効果」

私は仕事上、なにかしらのコメントを求められることが多くあります。


「あそこに出店したいのですがどう思います？」

「このソフトウェアは買ったほうがいいでしょうか？」

「いまのプロジェクトは見直したほうがいいでしょうか？」


私は会計士として、それなりに鋭いコメントを返そうと必死になります。

べつに、「いいと思いますよ」のひと言で片づけてしまってもいいのですが、それだと適当な返事だと思われ、私への信頼は失われてしまいます。

そこで、その件にまつわる数字と比較したり、他企業の例を思い出したりして、なんらかのコメントをするわけですが、数字を比較しても特に目立ったものがなかったり、他企業の例が思い出せないときがどうしてもあります。

そういうとき、私はとっておきの切り札を使うのです。

それは、

「――ポイントは費用対効果ですね」

というひと言です。

とにかく、費用対効果という言葉を使っておけば、会計士らしいコメントとしてそれなりに格好がつくのです。


費用対効果という言葉は、仕事上のどんな場面でも使えます。

それもそのはずで、仕事上で判断を求められる場合、大なり小なり「お金」は必ず関わってくるからです。購入だろうが受注だろうが人事だろうが、お金の関わらない話なんてめったにありません。

費用対効果は、「**お金を基準として効果を考えてみましょう**」という**意味**なので、**お金が出てくる場面**では、「**費用対効果**」といっておけばまずハズレはないのです。

費用対効果がどこででも使える理由

費用対効果が仕事上のどんな場面でも使える理由は、「どんな場面でもお金が関わってくるから」だけではありません。

「費用対効果の効果はオールマイティである」というのも大きな理由です。

費用対効果の効果が意味するモノはひとつだけではありません。会社によって、場面によって、いや人によってまったく違うこともあるのです。

ひとつ例を挙げてみましょう。

私は妻とよく映画を見に行くのですが、先日、つぎのようなやりとりがありました。

(映画館からの帰り道で)

「いやー、脚本がダメだった。１８００円も払ったのに費用対効果は最悪だ」

「そう?　オーランド・ブルームがかっこよかったから、１８００円分の価値はあったわよ。話題作だから、友達との会話のネタにもなるし」

そうです、同じ1800円というお金を払っているにもかかわらず、見終わったあとの感想がそれぞれ異なったのです。

なぜそうなるかといえば、私と妻にとっての効果が違ったからです。

私はいつも、「費用対脚本」という視点で映画を見ています。対して妻は、「費用対俳優」「費用対ネタ」といった別の視点で映画を見ていました。

このように、同じ対象であっても、費用対効果の効果というのはハッキリしないものなのです。

だからこそ、費用対効果はどんな場面でも使えるオールマイティで便利な言葉なのでしょう。

費用対効果をよく使う人にご用心

コンサルタントや上司から「費用対効果はどうなっているんだね?」なんて聞かれたときは、ハッキリと「ここでいう費用対効果の効果とは、いったいなにを指すのですか？」と逆に質問すべきでしょう。

一般に、費用対効果という言葉は適当に使われすぎています。

「この価格でこのカルビはおいしいねえ」

「今日のコンサートはプラチナチケットを入手しただけのことはあったね」

「同じ値段でふとん圧縮袋がもう１枚ついてくるなんて！」

それぞれ「費用対効果が良い」といわれますが、本当は費用対味覚、費用対感動、費用対枚数です。

とりあえず費用対効果といっておけばすべてを包括した言葉になるので、なんとなくみんな納得するでしょうが、よくよく考えるとおかしなこともあります。

たとえば、家電量販店では、「この食器洗い乾燥機を買えば水道代が安くなります」などと、費用対効果をうたった商品がいろいろ売られていますが、水道代は安くなっても電気代がかかるので、結局のところたいした節約にはならないことがあります。

この場合、費用対水道代という意味では費用対効果が良くても、費用対電気代という意味では費用対効果は悪いのです。

また、前著『さおだけ屋はなぜ潰れないのか?』では、「水道代が年間8万円も安くなる」と費用対効果をウリにした食器洗い乾燥機の例を出しました。

これもおかしな話です。

年間10万円しか水道代を払っていない我が家に導入すれば、水道代はわずか年間2万円になるのかといえば、絶対にそんなことはありません。

たしかに、食器洗い乾燥機を導入することで水道代が年間8万円安くなる家庭もあるでしょうが、それは、もともと毎日の食器洗いに相当な水を使用している家庭に限定されるのではないでしょうか。

費用対効果は一見、論理的なもののように思われがちです。

しかし実際は、このように前提がおかしかったり、効果の対象もあいまいだったりすることが多々あるのです。

つまり、使っている人の頭のなかでしか成立していない「関係のない数字」「机上の数字」なのです。

英語で「コストパフォーマンス（ＣＰ）」という人もいますが、どんな言い方をしても、大雑把な言葉であることに変わりはありません。

とにかく、費用対効果やコストパフォーマンスという言葉をさかんに使う人がまわりにいたら要注意です。**（私を含めて）カッコイイ言葉を使っているだけで、本当はたいしてなにも考えていない発言かもしれないのです。**

いかに少ないお金で最大の効果をあげられるか

さて、なにかと問題も多い費用対効果についていろいろ見てきましたが、そもそもどうして会計人は費用対効果という言葉をやたらと使用したがるのでしょうか？

もちろん、これまで説明してきたように、費用対効果は使い勝手が良く、便利なものだからという理由もあるでしょう。

しかし、いちばんの理由は、費用対効果という言葉が彼ら会計人の思考をある意味、象徴しているからです。

くり返しますが、会計人はお金に対してきわめて合理的な考え方を持っています。

つまり、「いかに少ないお金で最大の効果をあげることができるか」ということについて、いつも思考をめぐらしているのです。

ときとして「ケチ」「守銭奴《しゅせんど》」「冷酷」と呼ばれることもありますが、彼らには、そんな悪評にかまっている暇はありません。彼らは合理的にコストカットし、合理的にお金を使い、合理的に回収することに、なによりも喜びを感じているのですから。

そして、会計人のこの合理的な思考がひとたびビジネスの世界に反映されると、それは「効率化」と呼ばれる行動に結びつきます。

効率化とは、「ムラやムダをできるかぎりなくし、効率よくものごと（仕事）を進めること」をいいますが、現在のビジネスの世界では、非常にこの効率化がもてはやされています。

効率化を最重視する企業は、「守銭奴」などと非難されることはありません。むしろ、「筋肉質」などと賞賛されるのです。

「もっと効率化しろ」

「効率化の視点は持っていますか？」

「このプロジェクトは効率化に苦心のあとが見られますね」

みなさんも仕事場で、こういったセリフをよく耳にしているのではないでしょうか？ トヨタのカンバン方式がいい例ですが、現在のビジネス界には、効率化こそが成功への最短距離だという共通認識があるのです※。

※カンバン方式とは、工場でよく発生する「作りすぎのムダ」「手持ちのムダ」「運搬のムダ」といったムダを排除し、「必要なものを必要なだけタイムリーに作る」生産システムのことです。

効率化コンサルタントの結末

効率化において大事なのは、まず改善すべきムラ・ムダを把握すること、もしくは状況を一変させるアイデアが先に存在していることです。

つまり、事前にそれなりの準備が必要です。

ところが世間では、準備抜きで最初から効率化ありきの行動が見られます。

「効率化のために人員を5人から2人に削減します」

「予算が1億円から5000万円に減ります。しかし、規模は縮小したくないので効率化で対処してください」

ムラやムダを把握してはじめて効率化が行えるのに、なにも把握せずに人員や予算が減らされれば、ムラ・ムダならぬムリが生じてしまいます。

こんな話があります。

チェーン店を展開する飲食業の社長が経営に行き詰まったため、コンサルタントに相談しました。すると、そのコンサルタントは即座に、「効率化さえすればどんな会社でも立ち直ります」といい、社長は彼に経営再建を託《たく》しました。

さっそく彼は、従業員に希望退職を募《つの》ってベテランを中心に人員削減し、店舗も黒字を出しているお店だけを残して、50店から25店に減らしました。

つまり、給料の安い若手と黒字のお店だけを残すという効率化を行ったのです。

ところが、つぎの年はかろうじて黒字になりましたが、結局、そのつぎの年からは大幅な赤字になってしまい、経営はもとの状態より悪くなってしまいました。

どうしてこうなってしまったのでしょうか？

少し考えてみてください。

正解ですが、原因は仕入れ費用の増大にありました。

つまり、50店舗の大量仕入れだからこそ、これまで安く仕入れられていたのが、25店舗になってしまったため、取引先への価格交渉力が半減してしまったのです。

また、ベテランの仕入れ担当者も多く辞めてしまったので、交渉もうまくいかなくなりました。

形だけの効率化、すなわち「25店舗に減らせば立て直せる」という机上の数字が、かえって会社の力を弱めてしまったのです。

人件費の高いベテラン層をリストラし、赤字のお店を潰すという安易な効率化は、ムラやムダを正確に把握したものではありませんでした。また、アイデアとしても最悪に近いものです。

準備された効率化は人や会社を豊かにしますが、準備なき効率化は人や会社を疲弊させるだけなのです。

効率化の失敗

効率化の失敗について、もう少し見てみましょう。

１９９０年代の後半は、日本企業の業績が軒並み悪化し、多くの企業で新規採用がおさえられました。なかには、新入社員ゼロの有名企業もありました。

その甲斐《かい》あってか、２０００年代に入って企業の業績は回復し、新規採用も復活したのですが、現場では特定の年齢層（30歳前後）の社員がポッカリといないせいで、後輩への知識や技術の伝達がうまくできず、現場がダメになるといった会社が出てきました。

また、30歳前後の働き盛りの人材がいないせいで、その分、若手社員が余計に働かざるをえず、疲弊している現場もたくさんあります。

私の知っている会計事務所では、ほかの事務所では採用されなかった人たちを積極的に採用していました。

それだけ聞くとなんだかいい話なのですが、その理由は、「ほかで採用されなかった人は低賃金で働かせることができるので、経営効率がいいから」だとか。

たしかに、そうすることで人件費は圧縮できたそうなのですが、経営陣による「拾ってやったんだぞ」という見下した態度が目につき、なかなか社員が定着しなかったそうです。

その結果、顧客の担当者がつぎつぎと代わり、引継ぎ業務が増え、仕事の効率は悪くなってしまったといいます。

もちろん、顧客からの評判も落ちました。

「目先の利益」か、「長期的な利益」か

これら効率化の失敗例は、いずれも「目先の利益にとらわれて長期的な利益を失う」という話です。

会計的な考え方をする経営者ほど、このように目先の利益を追いがちです。

現状の会計制度では最低1年ごと、上場企業では3カ月ごとに決算書が発表され、そのつど、数字によるプレッシャー（売上高や前年比など）が発生するので、会計的思考の人間が目先の利益を追求するのも仕方ありません。

さらに最近では、1カ月半ごと（ハーフ・クォーター）に決算を発表するという話も出てきているので、目先の利益をますます意識せざるをえない環境になりつつあります。

また、113ページで述べたように、成果主義の導入によって、すぐに結果（数字）の出る、短期的で簡単な仕事しかしなくなるサラリーマンの例もあります。

目先の利益を追いがちなのは、家計でも同じです。

たとえば、月々４０００円の基本使用料で利用できるサービスに対し、「２年間解約しないという契約をすれば、月々２０００円になる」という半額サービスがあるとします（２００８年１月現在、どの携帯電話会社も似たようなサービスを行っています）。

２年間で４万８０００円も得することになるので、当然、契約したほうがいいように思えますが、問題は「２年もの間、本当に解約しなくていいのかどうか」ということです。

高額な違約金を払ってでも解約しなければならない状況になるかもしれませんし、他社がもっといいサービスや商品を出すかもしれません。また、基本使用料以外でたくさん払うハメになるかもしれません。

このような半額サービスは、そういった未来の出来事もすべてひっくるめて検討したうえで契約しなければならないのに、実際には、深く考えずに契約してしまっている人も多いでしょう。

実際に私の知り合いは、某携帯電話会社の半額サービスに申し込んだ直後、ディズニーが携帯電話事業に参入すると聞いて、「しまった！」と騒いでいました。

個人にしろ会社にしろ、たいして考えもせずに目先の利益を追ってしまうと、あとになって自分（自社）の行動を縛ることになりかねないのです。

さて、これまでのところで、「費用対効果→効率化→目先の利益」と話を発展させてきました。

つぎに押さえていただきたいのは、「二分法《にぶんぽう》」という考え方です。

数字とは一見、関係ないように見えますが、実に役立つ考え方でもありますので、ぜひおつき合いください。

デキる人は二分法で話す

私はよく二分法を使って話をします。

会計士の先輩から習ったテクニックなのですが、たとえば、監査の現場でお客さんから経営の話をうかがったあと、

「――御社の問題を考える場合、『社内』と『社外』の視点がポイントですね。社内では〇〇が、社外では△△が重要だと思うのですが、現時点ではどのような考えで動いていらっしゃるのでしょうか？」

などと、二分法を使ってたずね返したりします。

とにかく、ひとつのものごとをAとBの2つに分けて話すクセがついているのです。


私が二分法を多用する理由は2つあります。

まずひとつ目は、論理的に見せるためです。

二分法を使って話をすると一見、頭が良さそうに見えます。

単にひとつの問題を2つに分けただけなのですが、それだけでちょっとコンサルテ

イングっぽくもなります。

上巻でお話しした数字のテクニックを使って、「うーん、そうですね。問題点は2つあります――」という具合に冒頭に数字を入れると、さらに頭が良さそうに見えるでしょう。

そのほかにも、たとえば、「世の中には2種類の人間がいる。『会計を学ぶ人間』と『会計から学ぶ人間』だ」などといえば、かなりの論理的思考の持ち主のように見えます（実はたいしたことはいっていないのですが）。

つまり二分法は、手っ取り早く「デキる人」に見せるための手軽な（姑息《こそく》な？）手段なのです。

思考するためのテクニック

さて、二分法を多用する理由のひとつ目、「論理的に見せるため」というのは、実はたいした理由ではありません。これはオマケみたいなものです。

より重要な、二分法を使う2つ目の理由は、「ものごとをわかりやすくすることが

できるから」です。

どういうことかといえば、

「考えがまとまらない」

「対象が大きすぎる」

「なかなかアイデアを思いつかない」

などといった場合、私はとりあえずものごとを2つに分けることからはじめます。

そうすることで、考えるための手がかりを探すのです。

たとえば、ブログにエッセイを書くときになにも思いつかなかったら、「自分のこと」か「他人のこと」か、まずはどちらを書くのかを最初に決めます。

そして、どちらを書くか決めたら、今度は「(自分の)身のまわりで最近なにかなかったかな?」「(他人が)おもしろい話をしていなかったかな?」などと考えをめぐらしていきます。

そうすれば、ほとんどの場合、書くべきネタは見つかるのです。

その理由は、結局のところエッセイの内容というのは、自分のことか他人のことのどちらかしかないからです。

また、書評を書くときも、二分法は使えます。

たとえば、読んだビジネス書がおもしろかった場合、私はその理由が「共感できた」「新しい発見があった」のどちらに当てはまるのかをまず考えます。

本は、新しい発見がなくても共感さえできればそれなりに満足しますし、共感できなくても新しい発見があれば損した気分にはならないからです。

こうやって二分法を使っておもしろかった理由を分析していけば、自分の感想を的確に表現した書評を書くことができます。


このように、なにかを考える際に二分法は非常に有効です。

あまりにも漠然としていて、どこから考えはじめていいのかわからないときは、とりあえず大ざっぱでもいいのでものごとを2つに分け、思考のとっかかりや道筋を探していくのです。

別の言い方をすれば、**二分法とは、複雑な対象をわかりやすくシンプルにするためのテクニックだといえるでしょう**。

ある料理人は、新しい味を考えるとき、既存のものに「足し算」をするか、既存のものに「引き算」をするかをまず決めるそうです。

味という複雑なものに対して、新たに食材を増やすのか、余計なものを除くのかをまず考える――これも二分法による思考のシンプル化です。

会計の世界も二分法

私が会計士として経営者にアドバイスをするときも、まずは、「売上を伸ばす」べきか、「費用を減らす」べきかといった二分法から本題に入ります。

これは、『さおだけ屋はなぜ潰れないのか？』のさおだけ屋の解説のところでお話ししたとおり、利益を出すためには、「売上を増やす」か「費用を減らす」かのどちらかしか方法がないからです。

一見、なんでやっていけているのか不思議な商売も、お金の入口（売上）と出口（費用）といったシンプルなところから考えていけば、その儲けのカラクリが見えてきます。

また、会社の管理体制についても、「予防」と「治療」といった2つの観点から考えています。

つまり、問題が起きないようにチェック体制を作ること（予防）と、問題が起きたときにどう対処するか（治療）といったところから具体的なアドバイスに入るのです。

会社の仕組みは複雑です。ですから、まずは事前と事後に分けて問題を把握しやすくするのです。

最初から問題点が明らかな場合は、わざわざ二分法を使って考える必要もないのですが、よくわからない場合は、二分法は大きな手助けとなります。

ベテラン経理マン「3秒ジャッジ」の秘密

もうひとつ、会計での二分法の例を挙げましょう。

若者３人ではじめた、インターネット系のベンチャー企業が、ビジネスを軌道《きどう》に乗せることに成功し、社員が３人から15人に増えました。

そこで新たに経理も雇うことにしたのですが、やってきたのは、中堅企業で長年経理部長をしていた経理マン。

それまで経理は顧問税理士任せで、誰ひとり経理に詳しくなく、備品の購入や商品の値付《ねづ》けについては、そのつど、みんなで長い時間をかけて話し合って決めていました。

そこに、はじめて経理がわかる人が入社したのです。

社員はこぞって彼に相談に行くようになりました。

すると彼は、驚くべきことに、いつも３秒ぐらい考えて「ＯＫです」「ダメです」と即決したのです。

たまに「それは大事な問題なのでみんなで話し合いましょう」「たいした問題ではないので担当者が自由に決めてください」と答えることもありましたが、判断までの時間はやはり約3秒でした。

これまで長い時間かかっていたことをたった3秒で解決してくれるので、社員はみんなその経理マンのことを尊敬し、いつしか彼の判断は「3秒ジャッジ」と呼ばれるようになりました。

ところが、あるときのこと。その話を聞いた社外の人が社長に、「経理のプロとはいえ、そんなに早く決断できるわけがない。もしかしたら適当に答えているだけではないか?」といいました。

たしかに社長も3秒ジャッジについては少し疑念を抱いていたので、さっそく経理マンを呼び出し、どうやってそんなに短時間で判断しているのか、問いただしました。

すると彼は理路整然と答え、その理由を明らかにしたのです。

「みなさんは不思議に思っているかもしれませんが、実はとても簡単なことです。

みなさんが相談しにくる話は、『長期的なこと』か『短期的なこと』のどちらかしかありません。たとえば、テーブルの購入なら長期的に使うものですし、用紙の購入なら短期的なものです。

長期的に使うものなら丈夫さや安全性が重視されるので、少々値が張っても仕方ありませんが、短期的なものなら高いものを買うのはムダです。

つまり、『長期で高い』『短期で安い』ものならすぐにＯＫと、逆に、『長期で安い』『短期で高い』ものなら、もう一度考え直してもらうようにいっていただけなのです——」

３秒ジャッジの秘密を聞いた社長は、彼に疑念を抱いたことを恥じたといいます。

〈３秒ジャッジにおける経費の判断基準〉

	ＯＫ	要検討
長期	高い	安い（安物買いの銭失い？）
短期	安い	高い（もったいない？）

さて、この「3秒ジャッジ」ですが、もちろん、長期か短期か、高いか安いかの判断は、ある程度の経験がないとできないものです。

そういう意味では、少し高度な判断なのでしょうが、その仕組み自体は二分法を2つ組み合わせただけの単純なものです。

この経理マンもまた、複雑なものごとを二分法を使ってわかりやすくしていたのです。3秒ジャッジの判断は、そのシンプルな分類に基づいたものでした。

彼は、商品の値付けについても、1年未満の短期間で勝負するものなら「原価割れしない範囲で担当者が決めてください」、1年以上売りつづけるものなら「みんなで納得がいくまで話し合いましょう」と答えたといいます。

彼が長期間販売する商品の値付けにこだわったのは、定番商品ともなれば、ほかの商品との価格バランスも考えなければなりませんし、数年後に出るであろう同種の商品価格をも制約すると考えたからです。

つまり、スタートは単純な二分法でも、最終的には未来までも視野に入れたジャッジだったのです。

ビジネスも二分法で切る

二分法についてまとめてみると、私がいいたいことは以下の2点です。

●二分法を使って話すと論理的に見える（デキる人に見える）
●二分法はものごとを「AかBか？」といった、シンプルでわかりやすいものにしてくれるので、考える際の手助けとなり、理解や判断もしやすくなる

実際、二分法は使い勝手のいい、かなり万能なものです。

そして、会計を学ぶうえでも、二分法の考え方は必要になってきます。

特に、会計をちょっとかじった方、会計をこれから学びたいと思っている方は、よく聞いてください。

ビジネスというものも、二分法で切ることができます。

それは、「会計的な行動」か「非会計的な行動」か、という二分法です。

ビジネスとは結局、このどちらかしかありません。

ひとくちに「ビジネス」といってしまうとあまりに対象が大きすぎて、考えをまとめようとしても曖昧模糊《あいまいもこ》としてしまいませんか？

そんなときは、二分法を使えばいいのです。

むしろ、会計を多少なりとも理解している人は、意識して二分法を使って考えるようにしてください。

なぜなら、最近の傾向として、「会計ができる人はビジネスもできる」といったような風潮があるからです。

しかし、**これは間違いです。**

正しくは、「会計ができる人はビジネスの会計的な行動もできる」なのです。

ビジネスのすべてができるわけでは、決してありません。

「非会計的な行動」もなければ、ビジネスは成立しえないのです。

会計と非会計

ここで、「会計的な行動」と「非会計的な行動」の具体例を挙げましょう。

「会計的な行動」とは、会計を活用するうえでの最終目的「いかに少ないお金でたくさん稼ぐか」、すなわち「いかに効率的に稼ぐか」という点に主眼をおいた行動です。

それは、前に述べた会計人のとる行動と同様のものです。


〈会計的な行動の代表例〉
- ●お客さんの回転数を増やす
- ●少数の社員にたくさん働かせる
- ●売れている商品だけに絞って販売する

これらの「会計的な行動」を行うと、当然、経営は効率化されます。

しかしながら、同時に弊害も起きてきます。

●お客さんの回転数を増やす
　↓
　お客さんが増えすぎてサービスの質が低下
●少数の社員にたくさん働かせる
　↓
　激務で身体を壊す社員が続出
●売れている商品だけに絞って販売する
　↓
　絞った商品に強力なライバルが出現しピンチ

いずれも経営が不安定になる要素です。そこで、この不安定な状況を安定化させる動きが起こります。

それが、「非会計的な行動」です。

不安要因を取り除くために、お金がかかっても「リスクを低下させる」行動を会社はとるのです。

具体的には、つぎのような行動を指します。

●お客さんが増えすぎてサービスの質が低下
　↓　お客さんが増えた分、従業員も増やす
●激務で身体を壊す社員が続出
　↓　外注を使ってひとり当たりの業務量を減らす
●絞った商品に強力なライバルが出現してピンチ
　↓　開発費がかかっても新商品を準備

いずれもコストがかかり、効率も悪い、まさしく非会計的な行動です。

しかし、放置すればいずれもっと大きな経営危機にぶつかってしまいます。だから、イヤイヤながらも、会社は非会計的な行動をとらざるをえないのです。

たとえば、吉野家は牛丼のみの単品経営というきわめて生産効率のいい会計的な経営を行ってきました。しかし、ご存知のように、米国産牛肉の問題で牛丼の販売中止に追い込まれる、という不安定な面も露呈《ろてい》しました。

現在、吉野家は寿司の「京樽」、うどんの「はなまる」、ステーキの「どん」など、外食チェーンをつぎつぎと買収していますが、これは、この不安定さをカバーするための「リスク分散」という非会計的な行動なのです。

「バイトは雇わない」は会計的な行動

このように、「会計的な行動」と「非会計的な行動」はセットとなって、ビジネスを形成しています。

さて、ここでいよいよ「食い逃げされてもバイトは雇うな」という考え方が正しかったかどうかの話をしましょう。

まずは、あの話を図にしたものをご覧ください。

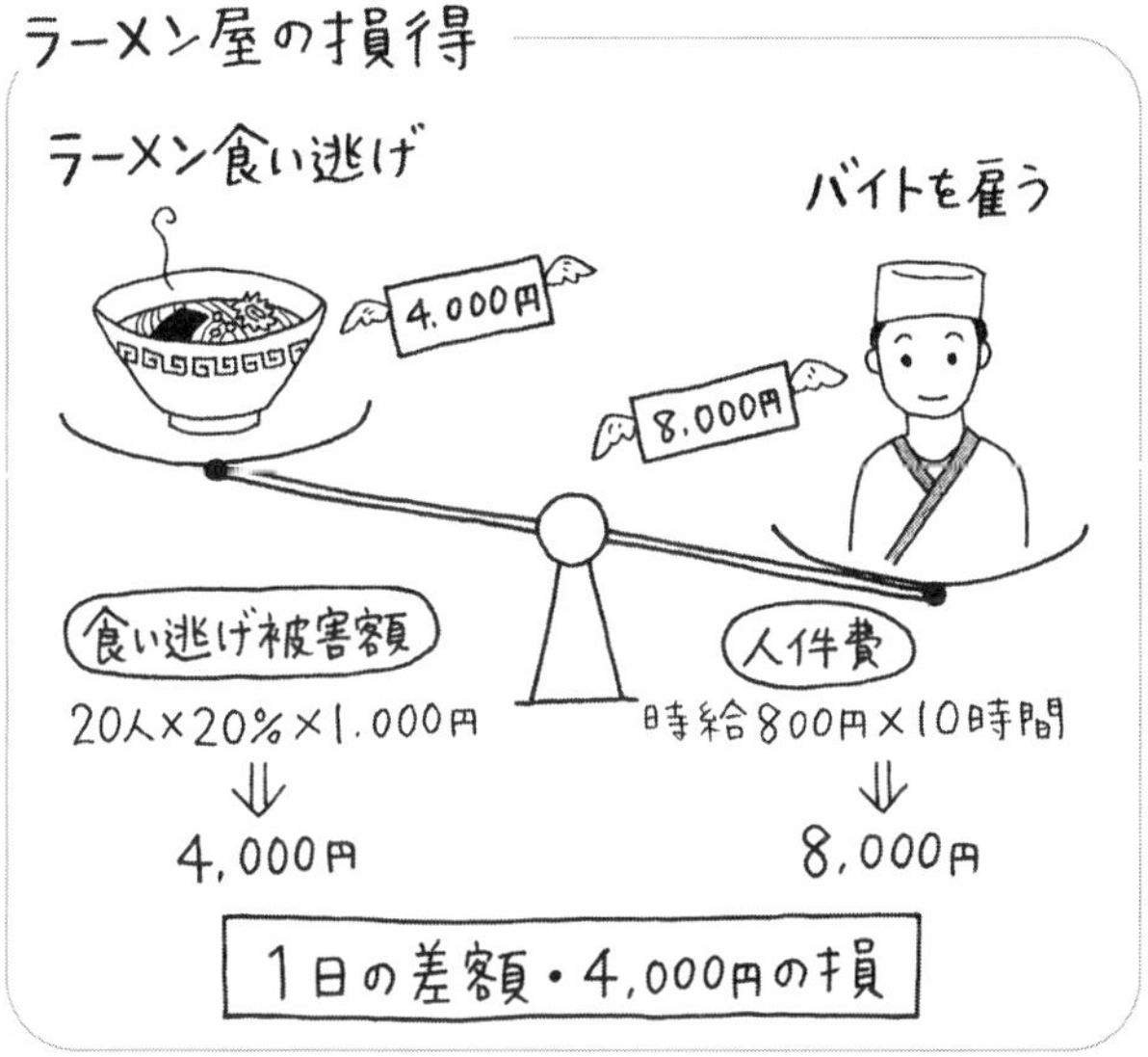

「バイトは雇わない」ほうが正解
（コストがかからない）

※ラーメン屋の営業時間を10時間、１時間当たりのお客さんの数を２人、お客さんが食い逃げする確率を20％（５人に１人）、お客さん１人あたりの売上高を1000円、そしてバイト代を時給800円として計算。詳しくは、上巻の127ページをご覧ください。

これはまさに、いかに効率よく稼ぐかを追求した「会計的な行動」です。

食い逃げの多いラーメン屋の店主は、心情的には悔しくても、感情よりも勘定を優先させ（上巻では「金額重視主義」という言い方をしました）、「バイトは雇わない」という判断を下しました。

それは、会計的に考えれば当然、導き出される結論です。

しかし、ビジネスのむずかしいところは、会計的な判断がかならずしも正解とはかぎらないところです。

そうです、「お客さんの回転数を増やす」「少数の社員にたくさん働かせる」「商品を絞って販売する」という効率重視の会計的な行動が経営を不安定にしたように、「バイトは雇わない」という行動も経営を不安定にする可能性があるのです。

そして、その不安定要素を取り除くために、食い逃げの多いラーメン屋も、効率の悪い「非会計的な行動」をとらざるをえなくなるかもしれないのです。

「食い逃げされてもバイトは雇うな」なんて大間違い

つまり、長い目で見ると、「食い逃げされてもバイトは雇うな」が必ずしも正解とはいえなくなります。

「食い逃げを許すラーメン屋」というルーズな印象は、長期的にはマイナスに働くでしょう。また、「いまは食い逃げ程度で済んでいるが、いずれはレジごと盗まれるかもしれない」という大きなリスクも存在するのです。

つまり、「バイトは雇うな」は机の上での正解でしかなかったのです。

金額重視主義は、「机上の数字」という禁じられた数字を生み出す土壌でもあります。この場合、「食い逃げ被害額４０００円」という数字がそうです。将来的には、とてもそんな額では済まなくなるかもしれないのです。

よって、安定を重視する非会計の観点からは、「食い逃げされないようにバイトを雇え」が正解になります。

二分法しかなかったのか?

でも、それも絶対の正解というわけでもありません。

ビジネスのあらゆる状況に当てはめられる方程式など存在しないのです。

バイトを雇うのも雇わないのも、会計・非会計それぞれの観点から見れば正解なのです。

ここで私がいいたいのは、「食い逃げされてもバイトは雇うな」という、会計の観点からしか見ていない短絡的な考えは、大間違いということです。


さて、食い逃げが多いラーメン屋の店主は、バイトを雇う、雇わないの二者択一で決断しました。

しかし、これしか方法はなかったのでしょうか……?


つぎの第4章では、二分法の世界を超えた、「第三の道」について考えていきます。

《第3章のまとめ》

「費用対効果」をよく使う人にご用心

- 費用対効果が便利な理由
  ①どんな場面でも、だいたいお金が関わる
  ②費用対効果の「効果」はオールマイティ
- 費用対効果 — 前提がおかしいもの、効果の対象があいまいなものも
  →使っている人の頭のなかでしか成立しない「関係のない数字」「机上の数字」、つまり「禁じられた数字」が発生
- 会計人の思考 — いかに少ないお金で最大の効果をあげられるか
  →効率化

「効率化」は成功への最短距離か？

- 効率化の前提
  ①改善すべきムラ・ムダを把握
  ②状況を一変させるアイデアが存在
- 準備なき効率化は人や会社を疲弊させる
  →机上の数字だけで計算した効率化は、ムラ・ムダならぬムリを生む

「目先の利益」と「長期的な利益」

- 効率化—目先の利益を優先させる考え方
  →長期的に見れば、利益を失うことになりかねない
- 現状の会計制度・成果主義
  →会計的な考え方をする人（会計人）ほど、目先の利益を追いがち
  →あとになって自分の行動を縛る

デキる人は「二分法」で話す

- 二分法の利点
  ①論理的に見せる
  ②複雑なものをシンプルに

ビジネスは「会計的な行動」と「非会計的な行動」から成り立つ

- 会計的な行動＝「低コストでいかに効率的に稼ぐか」という行動
  →経営が不安定になるという弊害が発生
- 非会計的な行動
  ＝経営を安定化させるために行われる、リスクを低下させる、非効率な（コストがかかる）行動
- 「食い逃げされてもバイトは雇うな」
  →会計の視点からしか見ていない短絡的な考え

第4章

ビジネスは二者択一ではない

妙手を打て

妙手《みょうしゅ》を打て

二分法は、ものごとをわかりやすくしてくれる「かなり万能なもの」です。

けれども、わかりやすいだけに、二分法で考えているかぎりは単純な結論になりがちです。つまり、二分法は、平凡な発想を生む土壌にもなっているのです。

それは、ケーススタディ②の大学生・黒田の「ものごとを単純な結論に落とし込もうとする姿」と重なります。

では、優秀な経営者は、二分法ではなくどう考えているのでしょうか？

少なくとも二者択一では考えていないでしょう。言い換えれば、二者択一になっている時点ですでにふつうの経営判断なのです。

優秀な経営者は、二者択一ではなく、可能なかぎり「会計」と「非会計」の両方を一気に解決する方法を考えています。それこそ脳ミソを死ぬほど働かせて。

両方とも一気に解決させる第三の道――私はそれを「妙手」と呼んでいます。

ビジネス上で起きる複雑な諸問題を一挙に解決する道は、「アイデア」と呼ぶにふさわしく、そのアイデアを捻《ひね》り出すことこそが経営者の仕事ともいえるのです。

目の前の問題を常に二者択一で判断していくだけであれば、正直な話、誰にでもできます。「Ａを解決することで、ついでにＢもＣも解決する」というような妙手を打つことが、経営のむずかしさであり醍醐味《だいごみ》なのです。

今回のラーメン屋の場合はどうだったのでしょう？

少し考えてみてください。あなたが店主ならどうしますか……？

私だったら、バイトを雇います。そして、そのバイトのさらなる活用方法を考えます。つまり、「バイトの人件費増加」を「売上増加によってカバー」できないかどうかを考えるのです（「食券機の導入」では、この売上増加によるカバーが困難です）。

たとえば、もともと出前の多いお店なので、これを強化することを考えます。バイトを使ってチラシ作りやチラシ配りを行うことで、地元への周知徹底や配達エリアの拡大を図るのです。

もしくは、ある程度お店を任せられるようにバイトを育てます。これが成功すれば、店主には売上がアップしそうな新メニュー考案のための時間的余裕ができます。しっかり育ったあかつきには、２号店の出店という規模の拡大も夢ではないでしょう。

このように、妙手は考えられないものではありません。

本当に優秀な経営者は、即断で「食い逃げされてもバイトは雇うな」とは口が裂けてもいわないでしょう。そのように発言すること自体、会計や数字にとらわれていることの証左《しょうさ》であり、妙手を見失うことにもなるからです。

ライバル店から客を奪う

それでは、妙手というのはどう思考すれば思いつくものなのでしょうか？

それは、とりあえず便利な道具、二分法を捨てることです。

上巻でとりあげた「コップの水が半分ある状態」を思い出してください。「もう半分しかない」と考えるのか、「まだ半分もある」と考えるのかは二者択一の考え方ですが、まったく別の視点から考えることもできます。「そもそもコップが大きすぎるんじゃない？」とか、「真下から見たら水の量なんてわかんない！」とか。感覚としては、妙手が求めているのはこういう発想です。

このように視点を大きく変えることが、妙手に近づく道なのです。

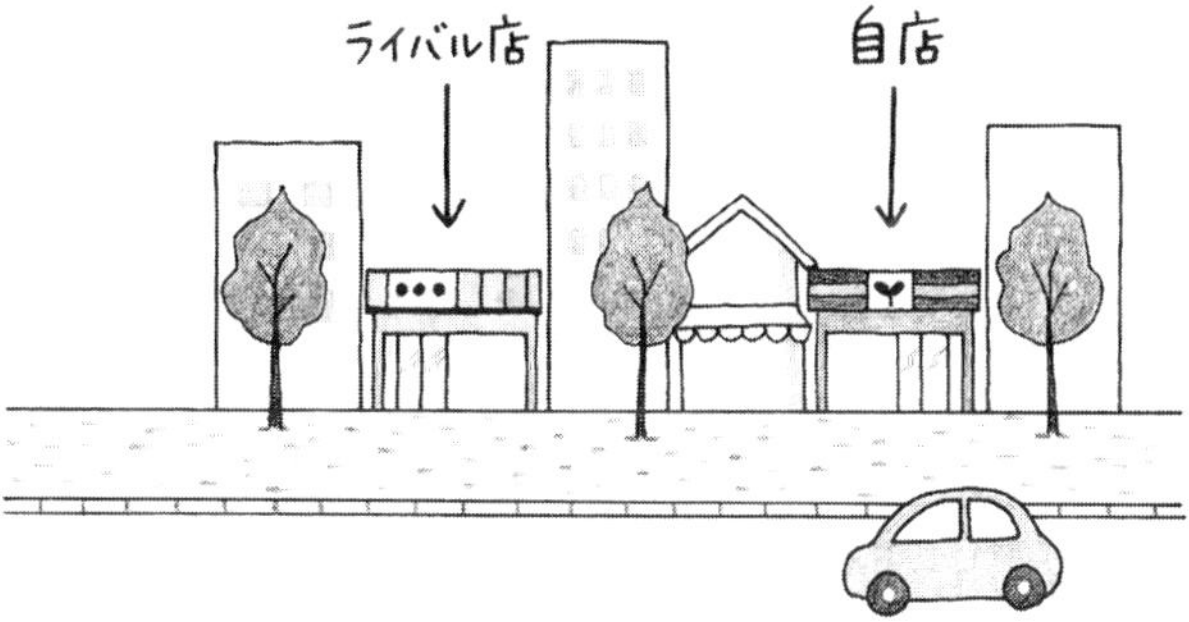

ここから先は、妙手の発想の訓練をするために、クイズ形式で企業の実例を見ていきます（多少デフォルメしてあるものもありますが、どれも実際にあった妙手です）。

《クイズ③》
上の図をご覧ください。自店のコンビニの近くに同規模のライバル店があります。ライバルに勝つために資金を投入できるとすれば、あなたはこの資金をどのように使いますか？（ただし、ライバル店の買収はできないものとする）

（考える時間↓1分）

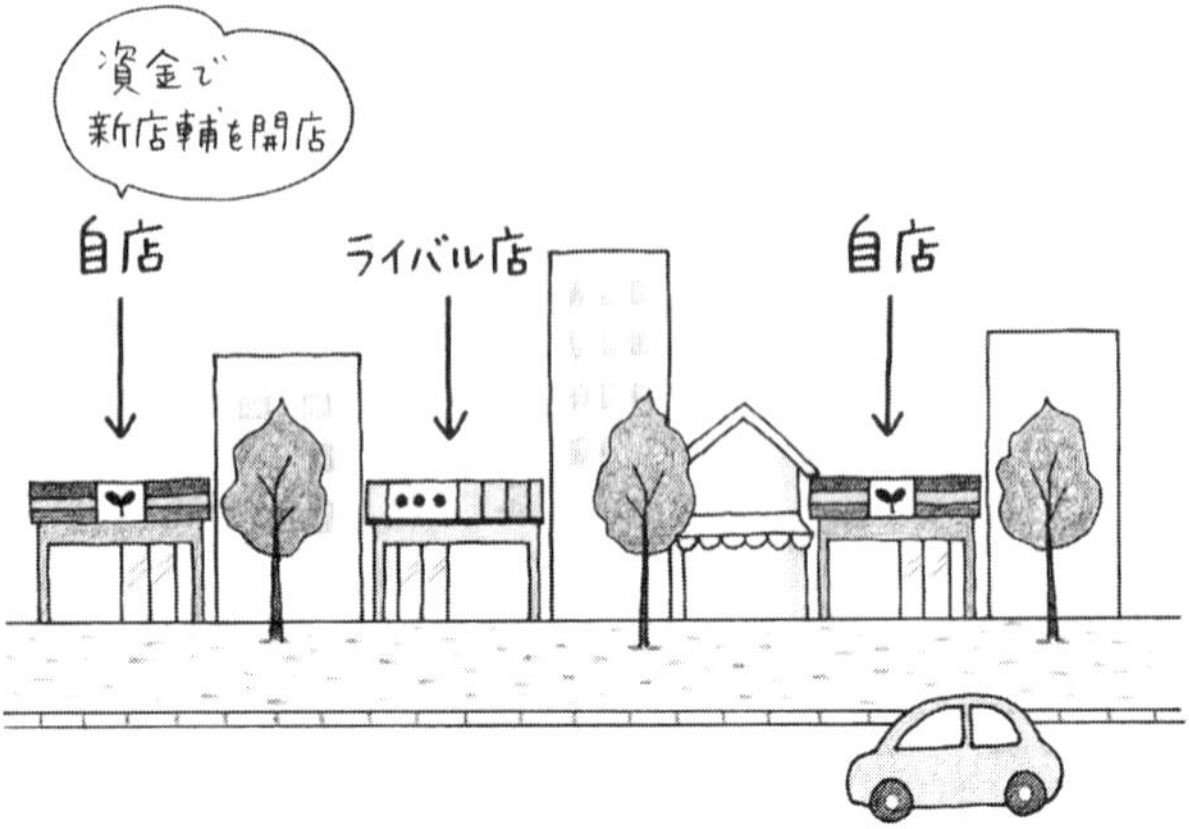

自店の規模をそのまま拡大する戦略では、立地の問題もあるので、お客さんが増えてくれるかどうかはわかりません。
ここでは、自店の売上を伸ばすだけでなく、ライバル店を撤退させるような方法を見つけることが妙手となります。

では正解です。

上の図のように、ライバル店への人の流れを遮《さえぎ》るようなかたちで新たなお店を出せば、ライバル店は苦しくなります。

ライバル店の商品をよほど愛している人ならライバル店に行くでしょうが、かなりの人はより近いほうのコンビニ、つまり自店に入るはずです。

いずれライバル店が潰れれば、その地域のお客さんを総取りすることも可能になります。

つまり、「攻撃は最大の防御」というのも妙手のひとつということです。

たとえば、中国への進出に成功した、日本で高シェアを誇る会社社長の話――。

進出の理由をメディアの前では「中国は成長市場だから」と語っているのですが、「本当のところ、中国企業や中国市場を制した外国企業が日本に進出するのを事前に防ぐためなんだけどね」と、私にこっそり教えてくれました。

人件費が３倍なんてありえないはずが……

私はいま、「ビジネス新伝説　ルソンの壺《つぼ》」※というＮＨＫ大阪のトーク番組で、毎回経営者をお呼びして貴重なお話をうかがっているのですが、あるとき大手住宅メーカーの社長に来ていただきました。

その会社では現在、住宅を販売する際に、営業マンだけではなく、設計スタッフと工事スタッフをあわせた3人で同時にお客さんの相談にのるという「三位《さんみ》一体営業」を展開しているという話を社長からうかがったのですが、これはかなり非効率な営業です。

というのも、人件費が3倍かかっているので、会計的に見れば、まず「ありえない」方法だからです。

しかし、この営業スタイルは大成功を収めました。

その成功の理由は、さまざまなジャンルの専門家が対応することで、お客さんのあらゆる質問に即座に対応することができ、満足度を高められたからです。

これはみごとな営業です。

ただ、成功の理由は、お客さんの満足度を上げたから、だけでしょうか?

「社長の口からはいえないだろうな……」と思い、番組内ではあえて指摘しなかったのですが、私は成功の隠れた理由がもうひとつあると思いました。

つまり、これこそ妙手だと思ったのです。

《クイズ④》
人件費が３倍かかる「三位一体営業」という妙手が成功した、もうひとつの理由とはなんでしょうか？

（考える時間→１分）

もちろん解答はひとつだけではないと思いますが、私が考える解答のヒントは、「数字」に関係します。
それでは、答えを見てみましょう。

解答例——
「三位一体営業」が成功したもうひとつの理由、それは、交渉の場において「数的優《すうてきゆう》位《い》」を作っていることです。
新築住宅の販売の場合、お客さんのほとんどは夫婦です。それに対して、３人で営業を行えば、3対2という数的優位を作り出すことができます。

心理的には、数の多いほうが交渉を有利に進めることができるのです。お願いするときと謝るときも、人は多ければ多いほどいい、というのと同じ理屈です。

この効果を活用して、効率的に成約率を増やしているのです。効率がいいということは、これは会計的な行動だということです。

つまり、三位一体営業とは、「3人の専門家でお客さんを満足させる」という非会計的な要素と、「数的優位で成約率をアップさせる」という会計的な要素の両方をあわせ持つ妙手だったのです。

※「ビジネス新伝説 ルソンの壺」はNHKの関西ローカル番組。毎週日曜朝8時〜8時25分放映中(2008年1月現在)。

在庫の恐怖から逃れる

会計と非会計、両方を満たす妙手をもうひとつとりあげましょう。

《クイズ⑤》

ある時計メーカーが、人気若手デザイナーのデザインによる高級腕時計を製作することになりました。

人気急上昇中のデザイナーなので売れるだけ売りたいのですが、どこまで売れるのかはまったく予想ができません。また、万が一売れ残ると、原価が高いだけに大損することになります。

どのようにすれば、うまく儲けられるでしょうか？

（考える時間↓1分）

これは、簡単なのではないでしょうか。

正解は（これも正解がひとつとはかぎりませんが）、限定販売にすることです。

限定販売は昔からよく使われる妙手です。

数量を限定することは、儲け損ねる可能性もあるので非会計的なのですが、商品に希少性を持たせられるので、付加価値（ブランド力）をつけることができます。

また、非会計的のように見えながら、実は会計的・効率的な側面もあります。それは、増産の判断をしなくて済むという面です。

というのも、商品の生産現場にとって増産の判断というのは、非常に神経のすり減る作業なのです。なぜなら、売れているのは最初だけかもしれないのに大量に作ってしまうと、在庫を大量に抱えるリスクを負ってしまうからです。

在庫は怖いものです。作るためのお金は出ていくのに、売れるまでお金は入ってきませんし、倉庫代も日々かかります。

そうした在庫の恐怖から解放される手段が限定販売です。

売れても増産はしないので在庫はゼロですし、売れなくても当初の予定範囲内の在庫量なので、大量在庫に恐怖することはありません。

経営の負担が少ないという点から見れば、それこそ効率的な経営スタイルなのです。

限定販売は、「**希少性の追加**」と「**在庫の恐怖からの解放**」という、**非会計と会計の両方を満たした妙手**なのです。

インターネット書店に対抗する

アマゾンなどのインターネット書店が台頭し、従来型の書店は大きな影響を被《こうむ》っています。

それ以外にも、コンビニで雑誌を買う人が増えたこと、駅ナカに書店が増えたことなど、書店をめぐる環境は昔に比べて厳しくなっています。

そこで、クイズです。

《クイズ⑥》

あなたは地方都市にある、主に専門書を扱う書店の社長。地元では有名な大型店ですが、インターネット書店の台頭や、全国チェーンの書店の進出など、不安な要素はたくさんあり、このままでいくと尻すぼみです。

そこで、この状況を打開する「妙手」をなにか打ちたいのですが、どんな方策が考えられるでしょうか？

（考える時間→2分）

これはむずかしいと思います。

また、これこそ正解はひとつとはかぎりません。が、なにか、人とは違うアイデアを見つけられないか考えてみてください。

さて、それでは正解のひとつとして、私が昔から妙手だと思っていたある本屋さんのやり方をご紹介しましょう。

いまから20年ほど前、私の地元・神戸に専門書をたくさん置く本屋さんがあったのですが、そこのウリが「座り読みコーナー」でした。自動販売機のあるスペースにイスとテーブルが置いてあって、自由に店内の本を読むことができたのです。

ふつう、本屋さんでの立ち読みは嫌がられるものです。一冊まるまる読み終えたら、買ってもらえなくなるかもしれません。

それなのに、この本屋さんはあえて「どうぞ、じっくり座って読んでください」といっているのです。

これは一見、本屋さんの自暴自棄《じぼうじき》にも見えるやり方です。しかし、これこそ妙手です。

「座り読み大歓迎の本屋」というインパクトによって書店へのイメージや信頼性をアップさせる、という側面だけではありません。

そもそも書店業は薄利多売の商売です。そんななか、数千円もする単価の高い専門書を売ることこそが、経営を安定させます。そして、高価なモノを売るためには、お客さんがじっくりと中身を吟味《ぎんみ》して納得することが前提条件となります。

だからこそ、座り読みコーナーが設置されていたのです。**つまり、高価格帯商品を売るための工夫という会計的な側面もあったのです**。

その後、この神戸の本屋さんがどうなったかというと、ここ10年で急速に店舗を拡大し、インターネット書店にも対抗しうる全国的にも有名な書店になりました。そして、いまでも各店舗に「座り読み」のためのイスが置かれています。

――その名を「ジュンク堂書店」といいます。

妙手はいたるところに

クイズ③～⑥でご紹介した以外にも、妙手はいたるところにあります。

たとえば「ドミナント戦略」。

小売業が特定の地域に集中して店舗展開することをいいますが、「なんで同じコンビニが、ひとつの駅の周辺に何店舗もあるんだ!?」と疑問に思ったことはありませんか?

ふつうに考えると、お互いの店がお客さんを食い合ってしまうので、たいへん非効率的です。実際、一地区一販売店にする「テリトリー制」を採用している会社もあります。

しかし、お弁当を扱うコンビニなど、一日に何度も配送があるような業種では、同一地域に集中することで商品の輸送がたいへん効率的になるのです。

おまけに、その地域での知名度アップが図れるなど、流通コストが下がるという会計的なメリット以外の非会計的なメリットも同時に得られるのです。

これも、妙手のひとつといえます。


別の例では、中央から現場への「権限譲渡」。

これもときとして立派な妙手になります。

全国展開をしているある衣料品店の話ですが、商品ラインナップの見直しをしたい場合、従来は本部の担当部署の許可を得る必要があり、へたをすると1カ月くらいかかっていたそうです。

これだと、「いまこの地域は厳寒だから、あったかいものを売りたい！」と現場が思っていても、商品が届く頃には春になっていたりします。

そこで、この衣料品店は現場への権限譲渡を進め、各店がそれぞれ工場と交渉して仕入れなどを行えるようにしました。

その結果、環境の変化に応じた迅速《じんそく》な対応が可能になり、売上が伸びたそうです。

また、本部の在庫も少なくできます（会計的メリット）。さらには、現場にやる気が出るという効果もあったのです（非会計的メリット）。

これも立派な妙手です。


100円ショップなどの「均一価格販売」も妙手です。

お客さんにとって価格がわかりやすいだけでなく、販売側も「ややこしいレジ作業」から解放され、誰にでもレジを任せられるようになります。


広告の際に盛んに行われる「プレゼントキャンペーン」も妙手です。

これは、プレゼントという目玉を作ることで広告自体の注目度を高めるだけでなく、プレゼント応募者の名簿を入手することで、営業やマーケティングにも活用できるというメリットがあります。


「他店より1円でも値段が高い場合はお知らせください」というビラが貼ってあるお店がありますが、これも妙手です。

安値のアピールでお店への信頼度を高めつつ、利幅が薄くてもとりあえず売れるので在庫のリスクは軽減され、お客さんを使った情報収集もできる、という一石三鳥の妙手です。

このように、うまくいっている経営の裏には、必ず「妙手」の存在があるのです。

ステークホルダー理論のあいまいさ

妙手は、利害が対立した場合にどうすればいいのか、ということについてもヒントを与えてくれます。

近年、会社のとらえ方のひとつとして、「ステークホルダー理論」という考え方が広まっています。

これは、株主（シェアホルダー）だけでなく、会社に関係するすべての利害関係者（ステークホルダー＝従業員、顧客、役所、地域住民など）を大事にしなければならない、という考え方です。

特定の関係者に偏ることなく、それぞれの関係者の理解を得ることが企業を存続させるうえで大事である、ということの考え方自体に間違いはないでしょう。

しかし、会社はどこを向いて経営をすればいいのか、という問いに対して、「ぜんぶが大事だよ」というのは論点をぼやかした回答のようにしか見えません。

たとえば、顧客（価格）と従業員（賃金）の利害が対立した場合に実務上どうすればいいのかといった点には、なにも答えてくれません。

さて、この問題に真っ向から「妙手」で挑んだ経営者のひとりを最後にご紹介しましょう。

それは、庶民に自動車を普及させた立役者、ヘンリー・フォードです。

フォードの歴史的妙手

ヘンリー・フォード率いるフォード社は、大量生産によって低価格を実現したT型フォードで成功したのですが、世間からはよりいっそうの低価格化が期待されていました。

一方、社内では労働者の高い離職率に悩まされていました。顧客（価格）と労働者（賃金）の利害が対立していたのです。

1914年、フォードは当時の人々に衝撃を与える決定を行いました。フォード工場のすべての有資格労働者に日当５ドルを与えると発表したのです。

当時、デトロイトの自動車工場の日当が１～２ドルという時代でした。

「労働者への高賃金の支払い」と「低価格での車の販売」という一見矛盾した戦略を同時に行うことにどういう意味があったのか。

それは、まず自社の労働者が車を買えるようにすることで、自動車市場を拡大させ、売上をより伸ばすという妙手だったのです。

実際のところは、ノォードの労働者の多くが対象者ではなかったようなのですが、労働者の価値を認めた「日当５ドル」の発表は、新聞各紙の第一面を飾り、労働者も世論も大歓迎しました。

これにより、ヘンリー・フォードはさらに有名になり、そういう意味では、副次的ですが広告効果も絶大なものになりました。

そうして、フォードはその後も、高賃金を実現するための効率的な生産方式作りに邁進《まいしん》したのです。

社会全体が大事なのはあたりまえ、それぞれの利害が対立したときこそ、経営者は妙手を打つために知恵を絞って考える必要があるのです。

介護会社が不祥事を起こした際なども、世間では「利益を優先すべきか、介護を優先すべきか」といったことが議論されましたが、これも本来はナンセンスな話です。経営者ならば妙手を考え出して、「利益」と「介護」の両方を満足させなければならなかったのです。

ギリギリまで考えろ

第3章でお話しした効率化や短期的な視点は、「禁じられた数字」を生み出す原因でもあります。

しかし、これを回避するために、逆に非効率や長期的なことだけに邁進しても、目の前の問題を解決することにはつながりません。

大切なのは、ギリギリまで相反《あいはん》する両者を満たす解決策、「妙手」を考えることなのです。

《第4章のまとめ》

ビジネスは二者択一ではない

- 会計的に正しい判断→ビジネス的に正しいとはかぎらない
- 二分法―「単純な結論」「平凡な発想」を生む土壌
  →「会計」と「非会計」という、相反する両者を一気に解決する方法(=妙手)を考えることこそ経営者の仕事
  →優秀な経営者は、即断で「食い逃げされてもバイトは雇うな」とはいわない
  →その発言自体、会計・数字にとらわれている証拠

「妙手」を打て

- うまくいっている経営の裏には、妙手が存在
  - ・自店で挟み込んで、ライバル店を撤退
  - ・3倍の人件費をかけた「三位一体営業」
  - ・限定販売
  - ・座り読み大歓迎の本屋さん
  - ・ドミナント戦略
  - ・現場への権限委譲
  - ・均一価格販売
  - ・プレゼントキャンペーン
  →会計と非会計の両方の要素をあわせ持つ
- 利害が対立したときにこそ、妙手は役立つ
  〈代表例〉
  フォードの「日当5ドル」
- 妙手を考えるためには？
  ①二分法を捨てる
  ②視点を大きく変えてみる
  ③ギリギリまで考える

終章

会計は世界の1/2しか語れない

会計は科学

会計は科学、ビジネスは非科学

ビジネスと会計は隣接した分野ですが、根本的にはまったく異なる性質のものです。水と油ほどに違うものだと思ったほうがいいでしょう。ビジネスはできても会計はできない経営者がいたり、会計には強くてもビジネスの場では役に立たない会計士がいるのはそのためです。

ビジネスと会計とでは、求められる能力がまったく異なるのです。

会計はそもそも科学的な学問です。

「現象の再現性」「反証《はんしょう》可能性」が大事とされている自然科学と同じで、誰がやっても同じ結果にならなければいけません。

誰かが作った決算書だと黒字なのに、私が作った決算書では赤字になった、ということは起きてはならないのです。会計士が計算しても、小学生が計算しても、必ず同じ金額になります。そういう意味で、会計はとても科学的です。

一方、ビジネスは非科学的な分野です。

同じビジネスモデルなら誰がやっても同じ結果だ、ということはまずありえません。

トヨタの生産方式を完璧にマネしても、トヨタのようになれるとはかぎりません。楽天と同じタイミングで起業して、同じようなビジネスをしたとしても、楽天のように大きくなれるとはかぎりません。

『さおだけ屋はなぜ潰れないのか？』についても、その発売がもう1年早くても、あと1年遅くても、ミリオンセラーという同じ結果にはなっていないと思います。

なぜなら、『さおだけ屋はなぜ潰れないのか？』のヒットの裏には、発売された2005年当時、ライブドアのニッポン放送買収騒動など、会計が関係する経済ニュースが巷《ちまた》にあふれていたという社会的背景があったからです。もちろん、本の出版時期は計算されたものではないので、まさに偶然の産物《さんぶつ》です。

ビジネスには地域性や業界事情、インフラ、人の心といったさまざまな要素がからんできます。そのため、まったく同じように再現することは不可能ですし、法則化してもその法則どおりになるとはかぎりません。そういう意味で、ビジネスはとても非科学的です。

会計＝科学
ビジネス＝非科学

会計のような金額重視・効率化重視の考え方だけでは、ビジネスのすべてを語ることができない根本的な原因はここにあります。

また、会計数字の説得力がきわめて強いのもここに原因があります。ただでさえ数字は説得力が強いのですが、会計は科学なのでさらに説得力が増します。なぜなら、人は科学の前にはなかなか反論できないのですから。

内部統制とビジネスのソリが合わない理由

『内部統制』を厳しくすることが求められている金融商品取引法（J―SOX法とも呼ばれる）の施行で、いま上場企業はその対応に大わらわです。

内部統制とは、社内で不正やミスが起きないための仕組みのことです。具体的には、内部監査人などを置いて社内をチェックさせたり、あらゆる業務を文書化して誰でもそのとおりに業務が行えるようにします。

内部統制は、社外の人が安心して取引したり株を売買したりするために必要な仕組みなのですが、社内の評判はあまりよろしくありません。

その理由は、「チェックのためにいちいち他人の承認を得るのが面倒だ」「文書化しづらいイレギュラーな業務も多い」「チェック機能である内部統制が有効に働いているかどうかを、内部監査人がさらにチェックするのでお金がかかる」といったもので、現場で自由に業務を行っていた人たちほど不満の声をあげています。

内部統制がビジネスの現場とソリが合わないのは、至極あたりまえなことです。

というのも、内部統制はもともと「会計数値を正確にするにはどうすればいいのか？」というのが出発点なので、会計の発想で作られています。

つまり、科学的な会計から生まれた産物である内部統制と非科学的なビジネスは、どちらかといえば真っ向から対立する概念なのです。

しかし、非科学的なものに科学的な光を当てることで行動が効率化するなど、新たな効果も期待できます。

会計的な視点はいらない？

私はこの下巻のなかで、「非効率も大事である」「会計と非会計の両者を兼ね備えた妙手を打て」といってきたので、効率化を求める会計的な視点は結局いらないんだと思われた方もいるかもしれません。

しかし、それは違います。

会計的な視点はふだんの生活ではなかなか身につかない考え方なので、逆にこれを知ると、これまでとは違った新たな視点を手に入れることができます。先入観や常識を一度、壊してくれる効果があるのです。

《クイズ⑦》

同じような商品が２つ並んでいます。あなたならどちらを買いますか？

「~~定価１０００円~~　特価８００円」

「定価700円」

（考える時間→3秒）

「特価800円」のほうがお得に感じる人もいるのではないでしょうか？　商品を買う際に、定価からの値引き度合いを基準に判断するというパターンです。

しかし、このクイズ⑦の前提が『同じような商品』なので、「定価700円」のほうが安くてお得です。

「定価1000円」のほうが高い分だけ良い品ならかまわないのですが、定価はあくまでも販売側が売りたい価格なので、本当に「定価1000円」のほうが「定価700円」より良い品かどうかはわかりません。

定価は、品質よりも広告費や流通コスト、ほかの商品とのバランスで値付けられるケースが多々あります。そもそも、「定価1000円」は、最初から値引き前提で売られている商品かもしれません。

一般的な感覚では「特価800円」が正解かもしれませんが、会計的な視点から見れば、金額重視主義により「定価700円」が正解になります。

節約をしたいときに、「昼食の1500円は高いからダメ」「飲み会の3000円は安いからOK」というのも要注意です。

世間の相場としては間違っていませんが、会計的な視点から見れば、昼食の「1500円」より、飲み会の「3000円」のほうが明らかに金額的に高いのです。

だから、昼食の1500円は大目に見ても、飲み会の3000円はおごってもらうか回避すべきなのです。

「年収2億円から600万円に下がった芸能人」と「年収400万円から500万円に上がったサラリーマン」のどちらがお金持ちかというと、会計的な視点から見れば、600万円の芸能人のほうが断然お金持ちです。

みんな異なる基準を持っている

ところが、「年収2億円から600万円に下がった芸能人」と「年収400万円から５００万円に上がったサラリーマン」のどちらが満足しているかというと、５００万円に上がったサラリーマンのほうが断然満足していると思います。

それが一般的な感覚です。

一般に人は、金額とは異なる基準をもとに幸・不幸、満足・不満を感じるのです※。この場合の基準は「前年との比較」です。

また、「~~定価１０００円~~　特価８００円」と「定価７００円」を比較する場合、「特価８００円」のほうが２００円値引きをしてもらったお得感があるので、満足度は「特価８００円」のほうが高いでしょう。

これは、基準が「お得感」に置かれているからです。

会計的な視点を貫くと確実に節約はできますが、買い物で満足感を得られるかどうかはまた別問題です。

人は感情のままに行動した場合、自分の感覚的な基準で判断します。そんなときは、会計的な視点で一度、冷静になって考えてみるのがいいでしょう。

そのうえで、「感情」をとるのか「勘定」をとるのかを選べばいいのです。

※これを行動経済学では、「参照点依存性」と呼びます。

会計は世界の½しか語れない

あらゆる経済活動は、会計と非会計のバランスをとりながら動いていると思っていいでしょう。

それは国家であっても同じで、たとえば税金の徴収でも、会計的な効率を優先するなら消費税が優れています。

実際に払うのは国民ひとりひとりでも、税務署に支払う事務手続きをするのはお店なので、税務署にとってはお店の数だけ相手にすればよく、事務処理として効率的なのです。また、日本の消費税は税率が一律でわかりやすいという面もあります。

一方、所得税・法人税は、国民ひとりひとりを相手にするので、税務署にとって確定申告の事務処理などはたいへんです※。また、税率が人・会社によって異なり、自己申告なので脱税も多いという面もあります。

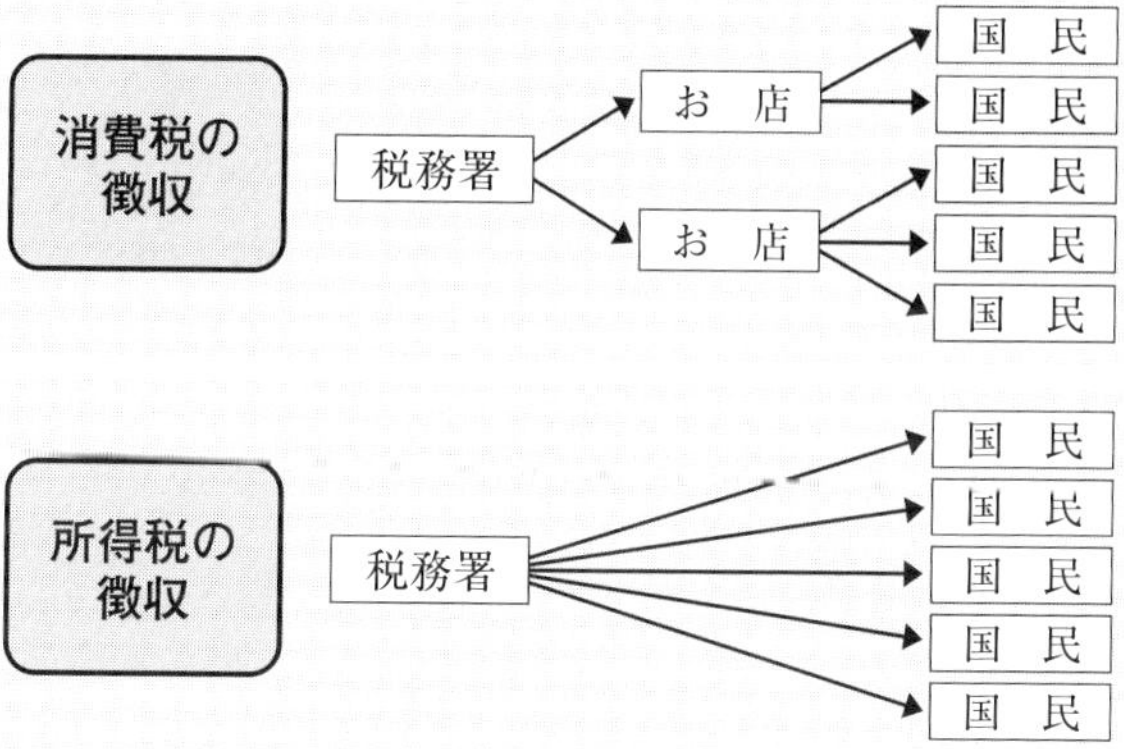

※それを一部、効率化させているのが、会社による源泉徴収制度です。

効率がいいなら税金なんてみんな消費税にしちゃえばいいじゃないか、という考えが出てくるかといえば、そんなことはありません。

なぜなら、所得税は儲かり具合に応じた税金の負担（担税力《たんぜいりょく》）を公平にできるのに対して、消費税は金持ち・貧乏に関係なく同じ税率を負担しなければならないからです。

年収1億円の人にとっての500万円と、年収100万円の人にとっての5万円では、同じ5%でも日常生活において負担に感じる重さは異なります（この、収入が低い人ほど負担が重く感じることを逆進性《ぎやくしんせい》と呼びます）。

消費税のほうが効率的でわかりやすいのですが、それだけでは公平にはなりえないのです。非効率ながらも、所得税は公平性を保つために存在しているのです。

民主主義でも、自由と平等というなかば対立しかねない概念を共存させようと努力しています。それと同様に、経済活動も会計と非会計を共存させようと、税金も効率と非効率（公平性）のバランスをとろうと努力しているのです。

ですから、**会計側の発想から生まれているものについては、それがどんなに優れていても世界の½しか語ることはできません**。

「310億円のムダ遣い」で驚く人たち

会計と非会計の両方を共存させることが大事だ、ということを長々と語ってきましたが、最後につぎのエピソードをご紹介したいと思います。

テレビを見ていると、おかしな光景に出くわすことがよくあります。

先日もつぎのようなことがありました。

「国費310億円、ムダ遣い　会計検査院指摘」というニュースをテレビで見たときのことです（2007年11月）。

これは毎年出てくる話題で、「会計検査院がこんなにもムダ遣いを摘発《てきはつ》しました！」という感じで必ず報道されます。そのときも同じような報道がなされており、番組のコメンテーターも「ムダ遣いをもっと減らさないと」とコメントしていたのですが、これはどう考えてもおかしな光景です。

《クイズ⑧》
右の話は、なぜおかしな光景といえるのでしょうか？

（考える時間→1分）

なぜおかしいかというと、それは「310億円」という数字だけに反応したコメントのように思えたからです。

少し調べれば誰でもわかることですが、2006年度の一般会計と特別会計の重複分を除いた純歳出は250兆円。

そこから「310億円のムダ遣い」を割合で表すと、わずか0・012%にしかすぎないことがわかります。

企業がコストを5%、10%と必死で削っているなか、国のムダ遣いが0・012%しかないなんて、ホンマかいな？　と疑いたくなるくらいの小さな数字です。

たとえるなら、月25万円の家計のムダ遣いが「たった30円」しかなかった、という計算です。それを、「310億円とは、なんて多額な！」と驚くのは、まったくのナンセンスです。

どちらかというと、マスコミやコメンテーターはこの数字に対し、「それだけしかムダ遣いがなかったなんてホント？」「会計検査院は手を抜いていないか？」「なにか会計検査院に圧力でもかかっているんじゃない？」といったツッコミを入れるべきところなのです。

この場合、金額とパーセンテージという、絶対と相対の両方の視点から見なければ問題の本質は見えてきません※。

国が発表した金額を素直に見て、「こんなにムダ遣いを！」と騒ぐのは、自ら単純さをアピールしているようなものなのです――。

会計・非会計の話にかぎらず、ビジネスにおいても、生活においても、大事なのは複数の視点を常に持つことです。

そして、それをベースに考え抜くことなのです。

※上巻では、「節約はパーセンテージよりも絶対額」とお話ししましたが（上巻116ページ）、それは一般企業や個人の視点の場合であって、国家のような巨額を扱う組織を対象とした場合については、絶対額だけだと実感がなさすぎて本質を見失います。日本の国の借金が542兆円でも452兆円でも正直その差がわかりづらい、という話と同じ現象です（上巻123ページ）。

タイトルの意味は？

視点ということでいうと、私の尊敬する人たちはみんな、偏狭《へんきょう》な考えを持たず、幅広い視野、複数の視点からものごとを考えています。私もそうした人々をできるだけマネしようと心がけています。

この上下巻の本のタイトルも、視点を意識したものです。『食い逃げされてもバイトは雇うな』『「食い逃げされてもバイトは雇うな」なんて大間違い』という正反対の言葉には、180度違う視点であっても知るべきである、という私の仕事のスタンスを込めています。

上巻では、「使うべき数字」として、さまざまな数字のテクニックをご紹介しました。

下巻では、「禁じられた数字」として、数字のダメな使い方をご紹介しました。そして、その背後にある土壌についての話をしました。

現在ビジネスで良しとされている〝計画〟や〝効率化〟を「ダメな土壌」としたので、そんな常識はずれな！　と思った方もいたかもしれません。

しかし、常識というのは複数ではなくて単一の視点です。

そこからはずれているとしたら、おおいにけっこう。

私にとっては、まさに褒《ほ》め言葉です。

「食い逃げされてもバイトは雇うな」というのは、単一の視点であることこそが、大間違いなのです。

《終章のまとめ》

ビジネスと会計では世界が180度違う

- 会計は科学―どんな環境でも同じ結果
- ビジネスは非科学―環境が異なれば、結果も異なる

→「会計がわかればビジネスもわかる」は根本的に間違い

〈代表例〉

「ビジネスはできても会計はできない経営者、会計に強くてもビジネスでは役に立たない会計士」「ソリが合わない内部統制とビジネス」

会計的な視点が必要な理由

- 会計的な視点（金額重視主義）

→ふだんの生活では身につかない考え方

→新たな視点、先入観や常識を一度壊してくれる

→感情に流されない合理的判断

- 人は金額とは異なる基準をもとに幸・不幸を感じる

→自分の感覚的な基準で判断

〈代表例〉

前年との比較、お得感

→勘定を優先することと、幸せかどうかは別問題

→会計的な視点を一度取り入れたのち、「感情」か「勘定」かを選べばいい

会計は世界の1／2しか語れない

- あらゆる経済活動は、会計と非会計のバランスをとりながら動いている
- 会計の発想から生まれるもの

→どんなに優れていても、「会計側の世界」しか語れない

上下巻のタイトルの意味

- ビジネスでも生活でも、大事なのは複数の視点を常に持つこと
- 「食い逃げされてもバイトは雇うな」→単一の視点こそ大間違い

あとがき

強すぎた想い

この「『食い逃げされてもバイトは雇うな』なんて大間違い」は、1年かけて何度も何度も書き直しをした本です。書いた原稿量は、実際に本になった分の4倍はくだらないでしょう。

いまから思うと、もともとの原稿はもっと「どぎつい」内容でした。つまり、もっと毒舌で、もっと挑戦的だったのです。

そうなってしまった理由は、想いが強すぎたせいだと思います。

想いとは、「会計信仰」への反発です。

会計についてはここ数年、ビジネス書・ビジネス誌を中心に頻繁にとりあげられていますが、**私は「会計が信頼されすぎている」と感じています。「会計がわかればビジネスがわかる」的な過大評価が目につくのです。**

計画や効率化といったものについての評価も同様です。学問の理論上は正しいことなのでしょうが、実務をやっている人間にとって、計画や効率化はときとして苦々しいものです。

私は会計はもちろんのこと、計画や効率化が嫌いなわけではありません。ただ、会計・計画・効率化は、一方では「禁じられた数字」を生み出す土壌でもあります。それを無批判で信仰する人たちに対して、強烈な違和感を覚えていた——これが、もとの原稿がギラギラとどぎつかった原因です。

しかしながら、この本はあくまでもビジネス書。私の不満をぶつける場では決してないので、会計・計画・効率化に対する批判は「やんわりと」書いたつもりです。

書き直しではなく、削ってしまった原稿もたくさんあります。貨幣論や金融論、リスク論などです。

しかし、そうした話題にまで及んでしまうと、コンセプトがぼやけるうえ、とても分厚い本になってしまうので、今回は涙をのんでカットいたしました。

なにせ、この下巻も1時間で読めることを目指したビジネス書でしたので（それでも下巻は上巻よりも厚くなってしまったので、読了に1時間半程度かかると思います）。

この上下巻の隠れた使命

さて、上巻の「『あとがき』というか『なかがき』というか解説」でも書きましたが、前著『さおだけ屋はなぜ潰れないのか？』で「数字のセンス」についてとりあげたところ、予想外に大きな反響をいただきました。

数字をうまく使いこなすセンス、数字に騙されないセンスを身につけたいと望んでいる方がたくさんいることを知り、私は「このセンスというとらえどころのないモノを、なんとか体系化できないか」と考えました。

これが、この上下巻を書くことになったキッカケです。

そしてその試みは、上巻と下巻の第1章でほぼ達成できたと思います。

数字のセンスの真髄とは、結局のところ下巻の終章でいった、複数の視点を持つと

いうことだと思います。

ひと言でいえばそれだけなのですが、これが、なかなか身につかない。

特に、文字では考えられるけれど数字になったとたんに思考停止してしまうという方にとっては、上巻の「数字を使いこなす」ことよりも、下巻の「数字に騙されない」ことのほうが優先課題でしょう。

そこで、下巻は、数字に騙されない「考える力」ができるだけ早く身につくような構成にしました。

「この数字の裏側はなにか?」「計画に縛られていないか?」「会計・非会計のどちらかに偏っていないか?」「妙手はないか?」と順に考えていくトレーニング・マニュアル——それが下巻の実体です。

数字のセンスを身につけるために、数字をとおして「考える力」をも鍛《きた》えるのが、この上下巻の隠れた使命だったのです。

「数字のセンス」を身につけることは必要か？

最近では、子供に対する金融教育の必要性なども叫ばれていますが、金融やお金うんぬん以前に、数字について正しく学ぶことこそ必要であると私は考えています。数字に踊らされている大人が子供に利殖を語ったところで、説得力がありません。たしかに、数字をとおして「考える力」を鍛え、数字のセンスを身につけたところで、すぐに儲かるといった話にはなりません。

しかし、**技術革新による情報の量的拡大、広告文化の発展にともなう「煽《あお》る情報」の質的進歩などは、私たちに「考える力」や数字のセンスを身につけることを求めています。**

変化に対応することは、下巻の第2章でお話しした「計画」と同じく、数字の世界でも必要なことなのです。

数字の話は、このへんでおしまいにしましょう。

数字に対して、無自覚でも無批判でもないつきあいができれば、数字はべつに怖いものでもむずかしいものでもありません。

上巻の最初にお話ししたとおり、**意識さえすれば数字は誰でもうまくなれるのですから。**

上下巻にわたりおつきあいいただき、ありがとうございました。

2008年1月

山田真哉

（企画協力）沼口哲也・沼口悦子・伊藤文彦・松井謙明・近藤仁・近藤敦美
持永律子・黒須雄一・徳田真知子・藤原萌実

索　引

あ行

か行

さ行

た行

な行

は行

ま行

や行

ら行

A

山田真哉（やまだしんや）

1976年兵庫県神戸市生まれ。大阪大学文学部史学科卒業。公認会計士山田真哉事務所所長。代表作『さおだけ屋はなぜ潰れないのか？』は160万部を超え、会計本としての金字塔を打ち立てた。会計ミステリー小説『女子大生会計士の事件簿』もシリーズ100万部を突破し、そのキャラクターは他の作品にもたびたび登場している。著作の特徴であるたとえ話の多用や、主張した直後に自ら反論を加える論法は、中国の思想家・韓非子から学んだものである。また、弱いが囲碁を愛好し、構想力を高めるのに役立てている。公式サイト「山田真哉工房」。

「食《く》い逃《に》げされてもバイトは雇《やと》うな」なんて大間違《おおまちが》い　禁《きん》じられた数字《すうじ》〈下〉

2008年2月20日初版1刷発行

著　者 ― 山田真哉
発行者 ― 古谷俊勝
装　幀 ― アラン・チャン
印刷所 ― 萩原印刷
製本所 ― 榎本製本
発行所 ― 株式会社 光文社
東京都文京区音羽1-16-6(〒112-8011)
http://www.kobunsha.com/
電　話 ― 編集部03(5395)8289　販売部03(5395)8114
業務部03(5395)8125
メール ― sinsyo@kobunsha.com

 ISBN 978-4-334-03437-5

光文社新書

049 **非対称情報の経済学**
スティグリッツと新しい経済学
藪下史郎
スティグリッツの経済学を直弟子がわかりやすく解説。なぜ市場主義は人を幸福にしないのか？「非対称情報」という視点からの、まったく新しい経済の見方。

062 **財政学から見た日本経済**
土居丈朗
特殊法人、地方自治体の驚くべき実態。税金が泡と消えていく「隠れ借金のカラクリ」を気鋭の経済学者が解き明かす。財政破綻！ そのとき日本は？ 私たちの生活は？

117 **藤巻健史の実践・金融マーケット集中講義**
藤巻健史
モルガン銀行で「伝説のディーラー」と呼ばれた著者が、社会人1、2年生向けに行った集中講義。為替の基礎からデリバティブまで――世界一簡単で使える教科書。

167 **経済物理学《エコノフィジックス》の発見**
高安秀樹
カオスやフラクタルという物理の理論が経済分析にも応用できることが証明され、新たな学問が誕生した。経済物理学の第一人者が、その最先端の研究成果を中間報告する。

172 **スティグリッツ早稲田大学講義録**
グローバリゼーション再考
藪下史郎
荒木一法 編著
グローバリゼーションは世界を豊かにしているのか。IMFの自由化政策は、アメリカだけが富めるシステムではないか。ノーベル賞学者の講義を収録、その理論的背景を解説する。

187 **金融立国試論**
櫻川昌哉
「オーバーバンキング」（預金過剰）がバブルを起こし不良債権をつくり金融危機を招いた。「カネ余りの不況」世界史的にも稀な現象がなぜ日本で起きたのか？ マクロの視点で読み解く。

254 **行動経済学**
経済は「感情」で動いている
友野典男
人は合理的である、とする伝統経済学の理論は本当か。現実の人の行動はもっと複雑ではないか。重要な提言と詳細な検証により新たな領域を築く行動経済学を、基礎から解説する。